PÂTES

Marieluise Christl-Licosa

Photos
Odette Teubner et Kerstin Mosny

Adaptation
Elisa Vergne

table des matières

HISTORIQUE DES PÂTES

Impossible d'esquiver le sujet alors que dans le monde entier des personnes avisées continuent de discuter pour savoir dans quel pays les pâtes, ce modeste aliment, ont vu le jour. Il est établi que les plats de pâtes existent depuis des millénaires en Extrême-Orient. Mais les avis divergent sensiblement sur l'origine de nos pâtes. L'opinion selon laquelle Marco Polo les aurait rapportées de ses voyages en Asie, est largement répandue. Mais on lit également que des marchands juifs seraient allés là-bas avant lui et auraient répandu les pâtes en Europe orientale. Une encyclopédie américaine apprend même au lecteur étonné que l'Europe devrait ces produits aux invasions mongoles.
Marco Polo a écrit le récit de ses voyages en 1298, mais l'histoire des pâtes italiennes est incontestablement plus ancienne. En effet, on a trouvé dans une tombe étrusque, une représentation d'ustensiles nécessaires à la fabrication des pâtes.

Fabrication maison de la purée de tomates : dans les Pouilles, les femmes la préparent souvent elles-mêmes. La purée est étalée, épaissie sous la chaleur du soleil et conservée.

Un gourmet romain écrit au Ier siècle déjà, que ses compagnons de table aimaient les *lagana* (bandes de pâte sucrées). Durant les trois siècles suivants, on faisait légèrement sécher la pâte, on la découpait en nouilles que l'on cuisait dans du bouillon de poule. D'après le chroniqueur, elles devaient être consommées fraîches car elles s'avariaient légèrement.
On doit aux Arabes l'idée d'avoir roulé la pâte en bâtonnets laissés à sécher au soleil : les macaronis étaient nés. Les Siciliens prétendent d'ailleurs avoir appris cela aux Arabes. Et bien que l'on surnomme depuis longtemps les Siciliens de « mangeurs de macaronis » et les Napolitains de « mangeurs de légumes », la marche triomphale des pâtes est bien partie de Naples. Quand la fabrication des pâtes est devenue industrielle, il s'y est développé une industrie florissante qui fit des pâtes italiennes un aliment populaire et elle fournit pendant longtemps en spaghettis, l'ancien et le nouveau monde.

LES DIFFÉRENTES PÂTES

Le terme italien *pasta*, qui vient de *pasta asciutta*, ne signifie rien d'autre que pâtes alimentaires. *Pasta asciutta* veut d'ailleurs dire pâtes sèches contrairement

Connaissez-vous le nom de ces pâtes ? Pour vous aider, reportez-vous au paragraphe « Les différentes pâtes ».

à *pasta in brodo* qui désigne les pâtes dans la soupe. En Italie, les deux sont toujours servies en hors-d'œuvre et jamais en plat principal comme chez nous. On distingue les nouilles longues et courtes. Les spaghettis (9) sont les plus appréciés. Les vermicellinis (21) et les capellinis font partie des plus petites nouilles. Lorsqu'elles sont un peu plus grosses, on les appelle vermicellis (19) ou spaghettinis. Les spaghettis n° 5 (ils sont numérotés en Italie) correspondent à peu près à la taille de ceux des fabricants français. Les très longs spaghettis ne sont pratiquement produits en Italie que pour l'exportation. Les nouilles longues peuvent aussi avoir une section carrée. Les plus larges s'appellent taglierinis (23), un peu plus étroites, linguines ou trenettes (5). Les tagliatelles (17) ou pappardelles (18) sont des nouilles plates et un peu plus étroites. Il existe aussi des nouilles creuses de différents diamètres qui vont des bucatinis (8) relativement fines aux grosses zitonis (6), en passant par les macaronis (7) et les mezzanellis. Les pâtes courtes peuvent être épaisses ou fines, coupées en oblique ou à angle droit et enfin, lisses ou striées. Les plus courantes sont les pennes (11), littéralement plume et les ditalis (12 [dé à coudre]) de différentes tailles, les rigatonis (10) et les conchiglies (13 [coquillages]), mais aussi les farfalles (14 [papillons]), ruotes (15 [petites roues]) et les gnocchis (24). On peut en voir quelques autres sur l'illustration ci-dessus : cannellonis (1), lasagnes (2), coquillettes (3), fusillis (4), tortellinis (16), raviolis (20) et *paglia e fieno* (22 [paille et foin]). On les retrouve toutes dans nos recettes. Il existe également plusieurs formes de petites nouilles qu'on utilise dans les soupes. Beaucoup sont également fabriquées en France (alphabets, vermicelles, étoiles, etc.).

Nature morte aux poissons dans un petit port de pêche. Savez-vous qu'il existe aussi de délicieux plats de nouilles au poisson et aux crustacés ?

LA PRÉPARATION DE LA PÂTE

Les gens désirant se nourrir avec des produits les plus naturels possibles sont de plus en plus nombreux et ils refusent les produits à base de fleur de farine. Mais que cela ne les détourne pas des plats de pâtes, car on peut fabriquer soi-même des nouilles de très bonne qualité : moudre finement 400 g de froment (ou le faire moudre dans un magasin de produits diététiques) et retirer à l'aide d'un tamis 100 g de son (pour éviter que les pâtes ne soient trop dures et trop lourdes). Mélanger les 300 g de farine avec 1 cuillerée à soupe de farine de soja pauvre en graisse et en faire un petit monticule sur la planche à pâtisserie. Creuser un puits et y verser 2 œufs, 5 cuillerées à soupe d'eau tiède et 2 cuillerées à café de sel. Mélanger le tout. Puis, pétrir la pâte jusqu'à ce qu'elle soit souple et ne colle pas aux doigts. Faire une boule et l'enduire d'huile. Retourner un saladier chaud sur la pâte, la laisser reposer 1 heure, puis la travailler en suivant la recette figurant aux pages 8 et 9.

LA CUISSON *AL DENTE*

J'ai fait la connaissance d'une Napolitaine très âgée, qui a préparé presque quotidiennement des plats de nouilles pour trois générations. Je voulais qu'elle me dise comment cuire les nouilles selon les règles de l'art. Comme elle pensait qu'une étrangère ne devait pas comprendre grand-chose à la cuisine, elle m'enseigna tout. Si vous suivez scrupuleusement les conseils de cette cuisinière expérimentée, vous ne pouvez pas rater une seule des recettes de ce livre, même à votre premier essai.
Le plus important reste dans tous les cas, la cuisson correcte des pâtes : pour 400 g de nouilles, porter à ébullition 4 litres d'eau dans une grande casserole avec 40 g de sel et 1 ou 2 cuillerées à café d'huile. (L'huile doit empêcher les nouilles de coller les unes aux autres. Les nouilles égouttées sont immédiatement mélangées à une sauce, ce qui explique l'absence en général de l'huile dans les recettes.) Dès que l'eau commence à bouillir, verser les pâtes d'un seul coup, remuer vigoureusement avec une fourchette et couvrir la casserole jusqu'à ce que l'eau menace de déborder. Retirer alors le couvercle et baisser le feu (mais le processus de cuisson ne doit

être interrompu à aucun moment). Remuer de temps en temps les nouilles pour les empêcher de coller au bord de la casserole et vérifier leur degré de cuisson. Elles doivent impérativement être versées *al dente* dans la passoire. *Il dente* signifie en italien « la dent » et celle-ci doit encore pouvoir croquer les pâtes. Elles ne doivent donc pas être trop molles. Sur ce point, ma conseillère était particulièrement sévère. Elle exigeait que la passoire soit prête à temps, afin de pouvoir y verser les nouilles aussitôt et les mélanger avec la sauce.

LA MACHINE À PÂTES

Quand vous aurez mangé une fois des nouilles faites à la maison, vous n'en voudrez plus d'autres. Il faudra alors vous procurer une machine à pâtes. Ces machines importées d'Italie et vendues sur le marché ont un double avantage : elles sont électriques et fonctionnent à la perfection. Elles ont cependant un inconvénient : elles sont difficiles à nettoyer. Mais une telle acquisition n'est justifiable que si on en fait un usage répété. Je fabrique mes nouilles depuis des années à l'aide d'une simple machine manuelle que des amis italiens m'ont recommandée. Des appareils ont été depuis, équipés d'éléments destinés à la fabrication des spaghettis et des raviolis, leur fonction essentielle étant de permettre un pétrissage aisé de la pâte et un découpage facile des nouilles. Si vous n'avez pas de machine entièrement automatique, pétrissez la pâte à la main jusqu'à ce qu'elle ne colle plus. L'abaisser sur 2 cm d'épaisseur et fariner légèrement les deux côtés. Puis écarter au maximum les deux rouleaux du pétrin et passer la pâte. Diviser ensuite cette pâte en 3, l'aplatir, la faire passer plusieurs fois en long dans la machine, jusqu'à ce qu'elle devienne lisse et brillante. Pour l'étendre, réduire de plus en plus la distance entre les rouleaux. Passer la pâte à plusieurs reprises, jusqu'à ce qu'elle ait atteint l'épaisseur désirée, en veillant à ce que les longs rubans de pâte ne plient pas. Puis, couper les feuilles de pâtes en deux et les passer entre les rouleaux. Procéder ensuite comme indiqué sur la recette des pages 8 et 9.

L'ART DE MANGER LES PÂTES

En Italie, les jeunes espiègles se font une joie de regarder les étrangers manger les spaghettis. Quant à l'étranger, il meurt de dépit à la vue d'un Italien venant à bout avec une vitesse extraordinaire d'une montagne de *pasta asciuta* (pâtes).
L'art de manger les spaghettis s'apprend. Les spaghettis doivent être enroulés. Il n'y a pas pire péché que de les couper avec son couteau. Les Italiens mangent leurs spaghettis uniquement à la fourchette. Ils prennent deux ou trois nouilles avec leur fourchette, les retirent de la masse des nouilles entremêlées en levant la fourchette et les enroulent ensuite sur le bord de l'assiette en tournant la fourchette sur elle-même. On ne considère cependant pas comme une faute si, dans le feu de l'action, une nouille se détache et qu'on l'aspire avec décence dans la bouche.
Et maintenant : on vous souhaite du plaisir à apprendre tout cela et à essayer les recettes.

Buon appetito !

Impression de Sicile : après la récolte, l'origan est mis en bottes et emporté au marché.

LA RECETTE DE BASE

facile

Une portion contient environ :
480 cal. Protides 25 g.
Lipides 14 g. Glucides 68 g.

Pour 4 personnes.
Préparation : 1 h 30 environ.
Séchage : 1 h.

- *400 g de farine*
- *4 œufs*
- *1 pincée de sel*

♦ Cette recette de base est internationale. Je la tiens de ma grand-mère du Tyrol du sud. C'était une femme très avisée et habile. Elle ne servait à table, par principe, que des pâtes faites à la maison car c'était meilleur. Elle me déclarait aussi : « Il est très facile de faire les pâtes soi-même. Il faut seulement prendre le temps nécessaire et que l'air de la cuisine ne soit pas trop sec, sinon la pâte s'affaisse ». Alors je me fais un grand bol de café avant de commencer le travail et tout marche comme sur des roulettes.

1. Tamiser la farine sur le plan de travail de façon à ce qu'elle forme un petit monticule. Y creuser un grand puits au centre.

2. Casser les œufs sur le bord d'un saladier et les faire glisser dans le puits. Ajouter le sel. Du bout des doigts et en partant du centre vers l'extérieur, incorporer la farine aux œufs rapidement jusqu'à la formation d'une masse friable.

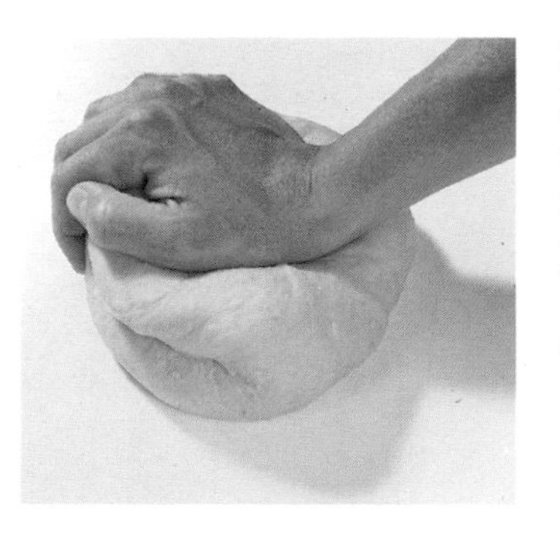

3. Pétrir cette masse en une pâte. L'écraser avec les paumes des mains en l'étendant loin, puis la remettre en boule. Continuer à pétrir vigoureusement pendant 10-15 mn, jusqu'à ce que la pâte devienne lisse et élastique.

4. Si la pâte ne se lie pas bien, ajouter un peu d'eau. Si au contraire, elle colle, incorporer un peu de farine. En coupant la pâte au milieu avec un couteau, la partie tranchée ne doit pas présenter de trous. La pâte est alors prête.

5. Envelopper la boule de pâte dans un linge. Retourner un saladier par-dessus et la laisser reposer pendant 15 mn.

6. Saupoudrer légèrement le plan de travail avec de la farine. Diviser la boule de pâte en 3 ou 4 morceaux et étaler chaque morceau au rouleau à pâtisserie à l'épaisseur du dos d'un couteau. Envelopper la pâte dont on ne s'occupe pas dans un linge.

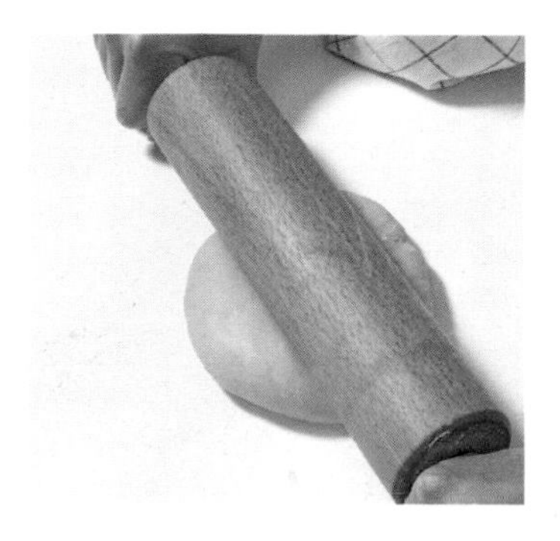

7. Laisser sécher les abaisses de pâte 5-10 mn. Puis les retourner et les fariner légèrement des 2 côtés. Repasser le rouleau, rouler la pâte sur elle-même et couper en bandes à la taille désirée. Ou passer la pâte à la bonne largeur entre les rouleaux de la machine (voir page 7).

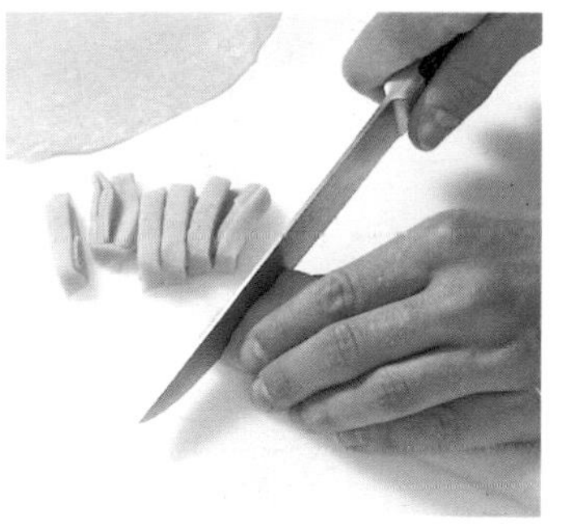

8. Prendre les nouilles avec précaution dans les deux mains, les secouer et les laisser tomber sur un torchon fariné. Laisser sécher 1 heure sur le torchon. Attention ! les nouilles faites à la maison cuisent beaucoup moins longtemps que celles du marché (vérifier le degré de cuisson).

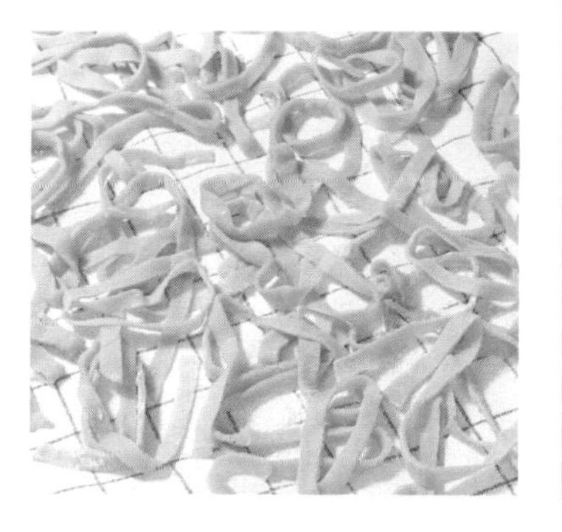

VARIANTES

Lasagnes et cannellonis

Pour les lasagnes, découper la pâte en rectangles de 8 à 12 cm et pour les cannellonis, en carrés de 12 cm sur 12. Laisser les morceaux sécher 1 heure, puis les précuire un court instant dans une grande quantité d'eau bouillante salée. Empiler les rectangles en les couvrant de farce. Couvrir les carrés de farce et les rouler, puis faire gratiner les deux spécialités au four avec de la sauce.

***Pasta verde* (pâtes vertes)**

Nettoyer et laver 400 g d'épinards, puis les blanchir rapidement à l'eau bouillante. Les passer sous l'eau froide, les égoutter, puis les essorer pour en extraire le maximum d'eau. Les hacher finement. Faire une pâte avec les épinards, 400 g de farine, 2 œufs et un peu de sel. Fariner le plan de travail avant d'étaler la pâte.

***Pasta rossa* (pâtes rouges)**

Faire une pâte avec 400 g de farine, 3 œufs, 70 à 80 g de pulpe de tomate (suivant l'intensité de la couleur) et 1 pincée de sel. Compléter avec 2 g (2 petites doses) de safran en poudre.

RAVIOLIS ET TORTELLINIS

facile

Une portion contient environ : 760 cal. Protides 41 g. Lipides 35 g. Glucides 69 g.

Pour 4 personnes.

Préparation des raviolis : 1 h 30.

Repos : 1 h.

Préparation des tortellinis : 3 h.

Repos : 1 h.

Pour la farce :
- *1 oignon*
- *1 gousse d'ail*
- *3 cuil. à soupe d'huile d'olive*
- *350 g de veau (ou de mouton) haché*
- *1/2 cuil. à café de romarin frais haché*
- *1 à 2 cuil. à café de thym séché*
- *12 cl de bouillon de viande*
- *sel*
- *poivre blanc fraîchement moulu*

Pour la pâte :
- *400 g de farine*
- *4 œufs*
- *1 pincée de sel*

1. Faire blondir dans l'huile l'oignon et l'ail émincés. Ajouter la viande, le romarin, le thym, du sel, du poivre et faire revenir en remuant. Verser le bouillon, puis couvrir et faire cuire 20 mn à feu moyen. Retirer le couvercle et faire évaporer à feu vif le liquide de cuisson. Laisser refroidir.

2. Préparer la pâte selon la recette des pages 8 et 9. Retourner un saladier sur la pâte et la laisser reposer pendant 15 mn.

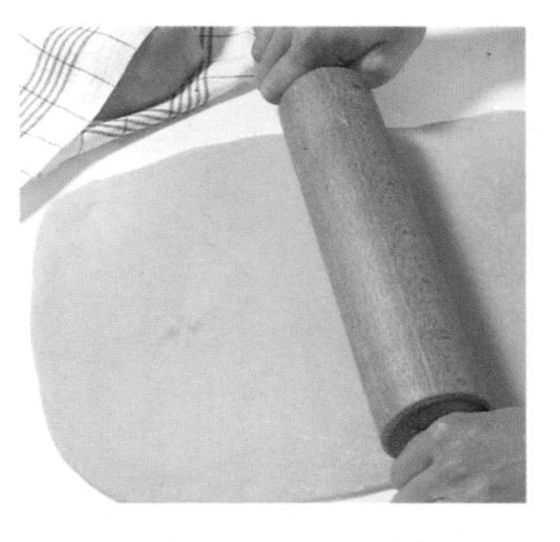

3. Pour les raviolis, couper la pâte en deux morceaux et les étaler en 2 rectangles égaux de l'épaisseur du dos d'un couteau.

4. Déposer sur l'un d'eux des petits tas de farce en les espaçant de 4 cm. Passer un pinceau trempé dans de l'eau froide, verticalement et horizontalement, autour de la farce. Poser avec précaution le second rectangle de pâte sur le premier et bien appuyer autour de la farce.

5. Découper les raviolis en petits carrés avec une petite roulette à pâte.

6. Pour les tortellinis, laminer sur 1 à 2 mm d'épaisseur toute la quantité de pâte et la découper en cercles ou carrés de 5 à 6 cm de diamètre ou de côté. Déposer 1 cuillerée de farce au milieu de chacun d'eux.

7. Passer 1 pinceau trempé dans de l'eau froide sur les bords des cercles ou des carrés de pâte. Refermer les cercles en demi-lunes ou les carrés en triangles et bien appuyer sur les bords. Enrouler chaque demi-lune ou chaque carré autour de l'index et écraser les deux bouts l'un sur l'autre.

8. Cuire les raviolis et les tortellinis 10 mn dans de l'eau salée bouillonnante, puis les égoutter. Vous pouvez également préparer les pâtes la veille et les conserver au réfrigérateur. Mais la cuisson durera alors deux fois plus longtemps.

VARIANTES

Avec du blanc de volaille et du jambon cru

Couper 100 g de viande de porc et 100 g de poulet. Les faire revenir à feu vif avec 1 cuillerée à soupe de beurre. Ajouter 100 g de jambon cru et 50 g de mortadelle hachés. Incorporer 100 g de parmesan râpé et 1 œuf. Assaisonner avec du poivre, du sel et de la noix muscade.

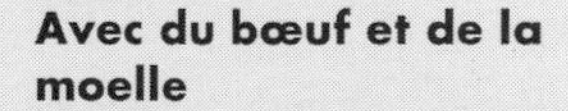

Avec du bœuf et de la moelle

Mettre dans de l'eau froide, 2 gros os à moelle (environ 80 g de moelle) pendant 30 mn, puis sortir la moelle. Hacher 300 g de bœuf rôti, 100 g de mortadelle et la moelle. Mélanger le tout avec 100 g de parmesan râpé, 1 œuf et 1 jaune d'œuf. Saler et poivrer.

Avec des épinards et de la ricotta

Équeuter et laver 350 g d'épinards. Les cuire sans les égoutter, à feu doux, jusqu'à ce qu'ils « fanent ». Les égoutter, les laisser refroidir et les hacher finement. Couper 200 g de ricotta en dés. Les mélanger aux épinards ainsi que 50 g de parmesan râpé et 1 œuf. Assaisonner.

MINESTRONE À LA MILANAISE

demande un peu de temps

Une portion contient environ : 570 cal. Protides 24 g. Lipides 27 g. Glucides 61 g.

Pour 4 personnes.
Préparation : 30 environ.
Cuisson : 2 h.
Trempage : environ 12 h.

- *150 g de haricots blancs secs*
- *100 à 150 g de coquillettes*
- *1 oignon*
- *1 pied de céleri en branches*
- *2 cuil. à soupe de beurre*
- *1 cuil. à soupe d'huile d'olive*
- *1 cuil. à soupe de pulpe de tomate*
- *1 1/2 l de bouillon d'os (voir Conseil) ou de viande*
- *1 poireau*
- *2 carottes moyennes*
- *2 petites courgettes*
- *2 pommes de terre*
- *1/4 d'un chou frisé*
- *1 gousse d'ail*
- *1 bouquet de persil*
- *2 feuilles de sauge fraîche*
- *75 g de lard fumé découenné*
- *150 g de petits pois surgelés*
- *3 cuil. à soupe de parmesan fraîchement râpé*
- *sel*
- *poivre noir moulu*

1. Mettre les haricots à tremper dans une jatte d'eau froide pendant au moins 12 h.

2. Hacher finement l'oignon. Laver le cœur du céleri et le couper en minces rondelles.

3. Faire chauffer l'huile dans une marmite et ajouter le beurre. Y faire revenir l'oignon et le céleri 5 mn à feu moyen. Délayer la pulpe de tomate dans 3/4 litre de bouillon, puis la verser dans la marmite. Égoutter les haricots et les ajouter aussi à la préparation. Porter la soupe à ébullition.

4. Fendre le poireau en deux, bien le nettoyer sous un filet d'eau froide et le couper en rondelles. Éplucher les carottes. Équeuter les courgettes. Éplucher les pommes de terre. Couper les carottes, courgettes et pommes de terre en petits dés. Nettoyer le chou et le découper en lamelles sans le trognon. Passer tous les légumes à l'eau froide, puis les verser dans la marmite. Couvrir et faire cuire à feu doux.

5. Hacher finement l'ail, le persil, les feuilles de sauge et le lard jusqu'à obtention d'une pâte crémeuse.

6. Après 1 h 30 de cuisson, verser le reste du bouillon et la préparation au lard dans la soupe. Mélanger et continuer à faire cuire le tout 15 mn.

7. Augmenter le feu, verser dans la soupe les coquillettes et les petits pois. Faire cuire les pâtes *al dente*. Saler, poivrer. Incorporer le parmesan en fin de cuisson.

CONSEIL !

Bouillon d'os : mettre dans de l'eau froide un os à soupe, de la viande, du thym, du persil, du céleri-rave, des légumes à soupe et 1 ou 2 feuilles de laurier. Faire cuire le tout 2 h à feu doux. Passer ensuite le bouillon dans une passoire fine.

8 sortes de légumes se donnent rendez-vous dans le minestrone à la milanaise.

SOUPE DE PETITS POIS AUX NOUILLES

économique

Une portion contient environ :
360 cal. Protides 16 g.
Lipides 18 g. Glucides 34 g.

Pour 4 personnes.

Préparation : environ 1 h.

- *100 à 150 g de quadruccis (carrés de pâte)*
- *1 petit oignon*
- *1 petite carotte*
- *1/2 bouquet de persil*
- *1 petite branche de céleri*
- *50 g de lard découenné*
- *2 cuil. à soupe d'huile d'olive*
- *1 cuil. à soupe de pulpe de tomate*
- *1 1/2 l de bouillon de légumes*
- *200 g de petits pois surgelés*
- *50 g de parmesan fraîchement râpé*
- *sel*

1. Nettoyer l'oignon, la carotte, le persil et le céleri, puis les laver et les hacher finement avec le lard.

2. Faire chauffer l'huile dans une casserole et y faire blondir le hachis 5 mn en remuant sans cesse à feu doux.

3. Délayer la pulpe de tomate dans un peu d'eau, puis la verser dans la casserole. Couvrir et laisser mijoter 10 mn. Mettre les petits pois et les pâtes dans la soupe. Faire cuire celles-ci *al dente*. Saler et ajouter le parmesan avant de servir.

SOUPE DE LENTILLES AUX PÂTES

facile

Une portion contient environ :
640 cal. Protides 30 g.
Lipides 26 g. Glucides 72 g.

Pour 4 personnes.

Préparation : environ 1 h 30.

- *200 g de petites ditalis*
- *250 g de lentilles brunes*
- *1 gros oignon*
- *1 branche de céleri*
- *2 gousses d'ail*
- *1 bouquet de persil*
- *75 g de lard fumé*
- *4 tomates mûres*
- *4 cuil. à soupe d'huile d'olive*
- *3 cuil. à soupe de pecorino (fromage de brebis) fraîchement râpé*
- *sel*
- *poivre noir fraîchement moulu*

1. Rincer les lentilles à l'eau froide, puis les mettre dans une casserole avec 1 litre 1/2 d'eau. Porter à ébullition.

2. Peler l'oignon, le couper en deux dans le sens de la largeur et émincer une part. Nettoyer le céleri, le laver et le couper en deux.

3. Ajouter l'oignon coupé et la moitié de la branche de céleri aux lentilles. Couvrir et laisser cuire 1 h 15.

4. Hacher finement l'ail, le persil, le lard, l'autre moitié d'oignon et la moitié de céleri restant. Ébouillanter les tomates, les peler, les épépiner et hacher la pulpe.

5. Faire revenir le hachis 5 mn dans l'huile à feu moyen. Ajouter les tomates, couvrir et laisser cuire 15 mn à feu doux. Mettre les lentilles avec leur eau de cuisson et un peu d'eau si nécessaire. Saler et poivrer.

6. Lorsque les lentilles sont cuites, retirer la demi-branche de céleri de la soupe et mettre à cuire les pâtes *al dente*. Saupoudrer de fromage et servir.

En haut : soupe de petits pois aux nouilles.
En bas : soupe de lentilles aux pâtes.

SOUPE DE COURGETTES

facile

Une portion contient environ :
450 cal. Protides 21 g.
Lipides 22 g. Glucides 43 g.

Pour 4 personnes.
Préparation : environ 1 h.

- *200 g de coquillettes*
- *1 oignon*
- *500 g de petites courgettes*
- *1/2 bouquet de persil*
- *1/2 bouquet de basilic*
- *500 g de tomates mûres*
- *6 cuil. à soupe d'huile d'olive*
- *1 1/2 l de bouillon d'os (voir conseil page 12) ou de viande*
- *100 g de parmesan fraîchement râpé*
- *sel*
- *poivre blanc fraîchement moulu*

1. Ôter le pédoncule des courgettes. Les couper en 4 tronçons, puis en dés. Émincer finement l'oignon. Hacher finement le persil et le basilic ensemble.

2. Ébouillanter les tomates. Les rafraîchir sous l'eau courante, les peler et les couper en quatre. Les égrener, puis écraser grossièrement la chair.

3. Faire chauffer l'huile dans une casserole et y faire revenir l'oignon à feu moyen. Ajouter les dés de courgettes, puis les faire cuire 5 mn. Incorporer les herbes et les tomates. Couvrir et laisser cuire 30 mn à feu doux.

4. Porter à ébullition le bouillon dans une autre casserole. Le verser bouillant sur la préparation aux courgettes. Saler et poivrer. Ajouter les pâtes dans la soupe et les faire cuire *al dente*. Servir accompagné de parmesan.

SOUPE DE TOMATES AUX PÂTES

économique

Une portion contient environ :
400 cal. Protides 17 g.
Lipides 20 g. Glucides 39 g.

Pour 4 personnes.
Préparation : environ 1 h 30.

- *150 à 200 g de coquillettes*
- *3 gousses d'ail*
- *2 tiges de céleri*
- *1 bouquet de persil*
- *12 grandes feuilles de basilic*
- *400 g de tomates en boîte*
- *5 ou 6 cuil. à soupe d'huile d'olive*
- *1 pincée de piment de Cayenne*
- *1 1/2 l de bouillon d'os ou de viande*
- *80 g de parmesan*
- *sel*

1. Peler et presser les gousses d'ail. Couper les tiges de céleri en fines lamelles. Hacher finement le persil et ciseler les feuilles de basilic. Passer les tomates à travers un tamis.

2. Faire chauffer l'huile dans une grande casserole et y faire blondir l'ail, le céleri et les herbes en remuant 5 mn sur feu doux. Y ajouter les tomates et le piment. Couvrir et faire mijoter le tout 15 mn à feu doux.

3. Porter le bouillon à ébullition dans une autre casserole, puis le verser dans la préparation précédente et saler si nécessaire. Couvrir et cuire 45 mn à feu doux.

4. Verser les pâtes dans la soupe et les faire cuire *al dente* tout en remuant pour les empêcher de coller au bord. Servir le fromage à part.

En haut : soupe de tomates aux pâtes.
En bas : soupe de courgettes.

PÂTES À LA MOZZARELLA

raffiné - végétarien

Une portion contient environ :
670 cal. Protides 29 g.
Lipides 28 g. Glucides 71 g.

Pour 4 personnes.

Préparation : 45 mn environ.

- *400 g coquillettes*
- *500 g de tomates mûres*
- *200 g de mozzarella*
- *2 gousses d'ail*
- *1 gros bouquet de basilic*
- *2 cuil. à soupe d'huile d'olive*
- *2 cuil. à soupe de beurre*
- *2 pincées de piment de Cayenne*
- *3 cuil. à soupe de parmesan fraîchement râpé*
- *sel*

1. Ébouillanter les tomates, les tiédir sous l'eau courante, puis les peler et les couper en quatre. Les épépiner et hacher grossièrement la pulpe. Couper la mozzarella en petits dés. Peler l'ail et le presser. Couper finement le basilic sans les tiges.

2. Faire chauffer l'huile dans une grande casserole pouvant aller à table. Y faire revenir l'ail à feu moyen, jusqu'à ce qu'il brunisse, puis le retirer. Mettre les tomates dans l'huile, saler et épicer. Couvrir et faire cuire 15 mn à feu doux.

3. Faire cuire les pâtes *al dente* dans de l'eau bouillante salée et les égoutter. Les mettre dans la casserole contenant les tomates et ajouter la mozzarella. Mélanger jusqu'à ce que le fromage ait fondu. Incorporer le parmesan, le beurre et le basilic puis servir.

SPAGHETTIS AUX HERBES ET AUX TOMATES

demande un peu de temps

Une portion contient environ :
480 cal. Protides 6 g.
Lipides 13 g. Glucides 74 g.

Pour 4 personnes.

Préparation : environ 30 mn.

Marinade : environ 4 h.

- *400 g de spaghettis fins (n° 3)*
- *600 g de tomates mûres*
- *1 branche de céleri*
- *1/2 oignon*
- *2 gousses d'ail*
- *1 gros bouquet de basilic*
- *1 bouquet de persil*
- *1 cuil. à café de feuilles d'origan frais*
- *5 cuil. à soupe d'huile d'olive*
- *sel*
- *poivre noir fraîchement moulu*

1. Ébouillanter les tomates. Les tiédir sous l'eau froide, les peler, les couper en quatre et les égrener. Couper la pulpe en cubes.

2. Nettoyer le céleri, puis le hacher finement avec l'oignon et l'ail. Ciseler finement le basilic, ainsi que le persil et l'origan sans les grosses tiges.

3. Mélanger dans une jatte les tomates, le céleri, l'oignon, l'ail et les herbes avec l'huile d'olive. Saler et bien poivrer. Couvrir et laisser mariner 4 h.

4. Faire cuire les nouilles *al dente* dans de l'eau bouillante salée. Les égoutter, puis les verser dans le saladier et bien les mélanger aux légumes. Ce plat est servi sans fromage.

En haut : pâtes à la mozzarella.
En bas : spaghettis aux herbes et aux tomates.

PÂTES AU BASILIC

raffiné - végétarien

Une portion contient environ :
860 cal. Protides 25 g.
Lipides 51 g. Glucides 77 g.

Pour 4 personnes.
Préparation : environ 1 h.

- *400 g de trenettes (nouilles plates étroites) ou de spaghettis*
- *4 gros bouquets de basilic*
- *4 gousses d'ail*
- *2 cuil. à soupe de pignons de pin*
- *12 cl d'huile d'olive*
- *80 g de pecorino fraîchement râpé*
- *sel*
- *poivre noir*

1. Laver rapidement le basilic et bien le sécher avec du papier absorbant. L'effeuiller et hacher grossièrement les feuilles. Peler l'ail et le presser.

2. Piler les feuilles de basilic avec un peu de sel dans un mortier. Ajouter un peu de poivre, l'ail et les pignons. Continuer à piler, en ajoutant cuillerée par cuillerée l'huile et le fromage, jusqu'à obtention d'un mélange crémeux. Faire chauffer un saladier pour les nouilles.

3. Faire cuire les pâtes *al dente* dans une casserole d'eau bouillante salée. Les égoutter en conservant 1 tasse d'eau de cuisson.

4. Délayer la sauce avec un peu d'eau de cuisson, puis verser les nouilles dans le saladier chaud et bien mélanger avec la sauce. Servir aussitôt.

SPAGHETTIS À L'AIL ET À L'HUILE

pour recevoir - végétarien

Une portion contient environ :
520 cal. Protides 20 g.
Lipides 19 g. Glucides 68 g.

Pour 4 personnes.
Préparation : 30 mn environ.

- *400 g de spaghettis*
- *5 gousses d'ail*
- *1 bouquet de persil*
- *6 cuil. à soupe d'huile d'olive*
- *1 pincée de piment de Cayenne*
- *4 cuil. à soupe de pecorino (ou de parmesan) fraîchement râpé*
- *sel*

1. Faire cuire les spaghettis *al dente* dans une grande casserole d'eau bouillante salée.

2. Pendant ce temps, peler l'ail et le presser. Laver le persil, puis l'égoutter et le hacher finement sans les grosses tiges. Faire chauffer un saladier ou un plat creux pour les nouilles.

3. Faire chauffer l'huile dans une petite poêle. Y faire rissoler l'ail et le piment puis les retirer de la poêle.

4. Égoutter les nouilles tout en conservant quelques cuillerées à soupe d'eau de cuisson, puis les verser dans le plat chaud.

5. Verser l'huile brûlante de cuisson de l'ail sur les nouilles. Ajouter 2 à 3 cuillerées d'eau de cuisson des nouilles éventuellement. Parsemer les pâtes avec le persil, bien mélanger et servir aussitôt. Présenter le fromage à part.

*En haut : pâtes au basilic.
En bas : spaghettis à l'ail et à l'huile.*

PENNES AU GORGONZOLA

raffiné - végétarien

Une portion contient environ :
790 cal. Protides 25 g.
Lipides 45 g. Glucides 69 g.

Pour 4 personnes.

Préparation : 30 mn environ.

- *400 g de pennes (macaronis courts coupés en oblique)*
- *200 g de gorgonzola pas trop fait*
- *4 à 6 feuilles de sauge fraîche*
- *30 g de beurre*
- *1/4 l de crème liquide*
- *sel*
- *poivre blanc fraîchement moulu*

1. Faire cuire les pâtes *al dente* dans une grande quantité d'eau bouillante salée.

2. Pendant ce temps, retirer la croûte du gorgonzola, puis le couper en petits morceaux. Laver les feuilles de sauge et les faire sécher.

3. Faire fondre le beurre à feu doux dans une sauteuse pouvant aller à table. Y faire revenir rapidement les feuilles de sauge, puis les retirer. Faire chauffer les morceaux de fromage en remuant souvent à feu doux jusqu'à ce qu'ils fondent. Ajouter ensuite peu à peu deux tiers de la crème liquide. Saler et poivrer généreusement. Laisser épaissir à feu doux et à découvert.

4. Égoutter les pâtes, les verser dans la sauteuse, puis bien les mélanger avec la sauce et les feuilles de sauge. Si le plat est trop sec, ajouter le dernier tiers de la crème liquide.

SPAGHETTIS AU BASILIC

raffiné - végétarien

Une portion contient environ :
790 cal. Protides 20 g.
Lipides 46 g. Glucides 72 g.

Pour 4 personnes.

Préparation : 30 mn environ.

- *400 g de spaghettis fins*
- *3 gros bouquets de basilic*
- *100 g de beurre*
- *1/4 l de crème liquide*
- *40 g de pecorino fraîchement râpé*
- *sel*
- *poivre blanc fraîchement moulu*

1. Passer si nécessaire le basilic sous l'eau courante car le lavage lui retire du parfum. L'effeuiller, puis hacher finement les feuilles.

2. Faire cuire les pâtes *al dente* dans une grande quantité d'eau bouillante salée.

3. Pendant ce temps, faire fondre le beurre dans une petite poêle sur feu doux tout en veillant à ce qu'il ne brunisse pas. Chauffer légèrement la crème liquide dans une seconde poêle.

4. Égoutter les pâtes et les verser dans un plat creux résistant à la chaleur ou dans une casserole pouvant aller à table. Bien mélanger les nouilles avec le beurre fondu, la crème liquide chaude, le basilic, du sel, du poivre en abondance et du fromage. Couvrir et laisser reposer 5 mn sur la plaque de cuisson encore chaude (pas brûlante !).

VARIANTE

Vous pouvez également préparer ce plat avec la même quantité de persil et assaisonner la crème liquide avec de la noix muscade.

En haut : pennes au gorgonzola.
En bas : spaghettis au basilic.

SPAGHETTIS AUX COURGETTES ET AUX TOMATES

raffiné

Une portion contient environ :
570 cal. Protides 24 g.
Lipides 21 g. Glucides 75 g.

Pour 4 personnes.
Préparation : environ 1 h.

- *400 g de spaghettis*
- *1 oignon*
- *500 g de courgettes*
- *350 g tomates mûres*
- *80 g de perorino râpé*
- *1 pincée de piment*
- *1/2 bouquet de basilic*
- *5 à 6 cuil. à soupe d'huile*
- *sel*

1. Peler et hacher menu l'oignon. Équeuter les courgettes et les couper en petits dés. Écraser le basilic. Ébouillanter les tomates, les peler, les couper en deux et les épépiner. Écraser grossièrement la pulpe à la fourchette.

2. Faire chauffer l'huile et y faire revenir l'oignon 5 mn à feu moyen. Ajouter les dés de courgettes, les tomates et bien mélanger 2-3 mn. Saler, pimenter et ajouter le basilic. Laisser cuire les légumes à feu doux.

3. Napper les spaghettis cuits *al dente* avec la sauce et bien les mélanger. Parsemer de fromage et servir aussitôt.

MACARONIS AUX BROCOLIS

pour recevoir

Une portion contient environ :
790 cal. Protides 36 g.
Lipides 34 g. Glucides 90 g.

Pour 4 personnes.
Préparation : environ 1 h 45.

- *400 g de macaronis*
- *50 g de raisins secs sans pépins*
- *1 kg de brocolis*
- *1 oignon*
- *2 gousses d'ail*
- *6 filets d'anchois*
- *500 g de tomates mûres*
- *8 cuil. à soupe d'huile d'olive*
- *50 g de pignons de pin*
- *1/2 bouquet de basilic*
- *60 g de pecorino fraîchement râpé*
- *sel*

1. Rincer les raisins, puis les laisser gonfler 15 mn dans un bol d'eau tiède.

2. Nettoyer les brocolis puis détacher les petits bouquets et les cuire *al dente* dans de l'eau bouillante salée. Les égoutter.

3. Couper l'oignon en fines rondelles. Presser l'ail. Hacher les filets d'anchois finement. Ôter le pédoncule des tomates, puis les ébouillanter et les peler. Les couper en deux, les égrener et hacher finement la pulpe.

4. Faire blondir les rondelles d'oignon 5 mn à feu doux dans la moitié de l'huile. Ajouter les tomates, saler, couvrir et laisser mijoter 30 mn. Au bout de ce temps, ajouter les brocolis et les faire cuire à couvert 5-10 mn.

5. Faire revenir l'ail 5 mn à feu doux dans le reste d'huile, puis y ajouter les anchois et les laisser cuire 2-3 mn. Égoutter les raisins secs, puis les mettre à cuire 5 mn avec les pignons dans la sauce aux anchois.

6. Casser les macaronis en morceaux de 4 à 5 cm de long. Les cuire *al dente* dans une grande quantité d'eau bouillante salée. Ciseler finement le basilic. Faire chauffer un saladier. Égoutter les pâtes et les verser dans le saladier. Les mélanger d'abord avec la sauce aux anchois, puis incorporer le mélange chaud de brocolis et de tomates. Saupoudrer de basilic et de fromage. Mélanger rapidement le tout.

*En haut : macaronis aux brocolis.
En bas : spaghettis aux courgettes et aux tomates.*

BUCATINIS AU CHOU-FLEUR

raffiné

Une portion contient environ : 570 cal. Protides 30 g. Lipides 19 g. Glucides 74 g.

Pour 4 personnes.

Préparation : 1 h environ.

- *400 g de bucatinis ou de spaghettis*
- *1 petit chou-fleur (600 g)*
- *1 oignon*
- *2 gousses d'ail*
- *5 filets d'anchois*
- *4 cuil. à soupe d'huile d'olive extra-vierge*
- *1 pincée de safran*
- *1 pincée de piment de Cayenne*
- *80 g de pecorino fraîchement moulu*
- *sel*

♦ Le chou-fleur est un légume de toutes saisons ! Ce plat vous ouvre les portes d'une cuisine raffinée.

1. Nettoyer le chou-fleur, éplucher le trognon, puis y pratiquer une incision en croix à la base. Le cuire 15 mn dans de l'eau bouillante salée : il doit rester légèrement croquant. Hacher finement l'ail et l'oignon. Couper finement les filets d'anchois.

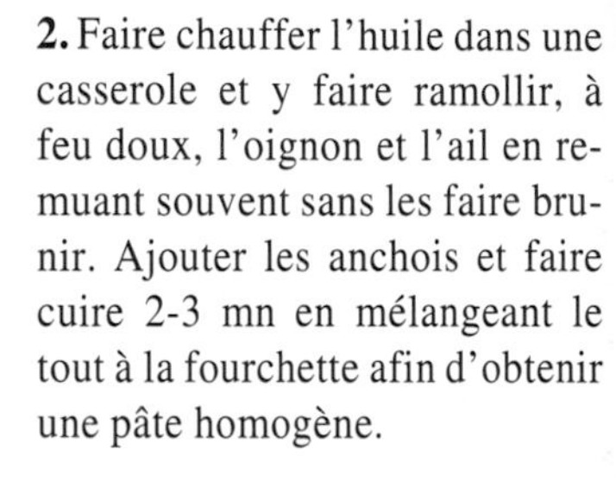

2. Faire chauffer l'huile dans une casserole et y faire ramollir, à feu doux, l'oignon et l'ail en remuant souvent sans les faire brunir. Ajouter les anchois et faire cuire 2-3 mn en mélangeant le tout à la fourchette afin d'obtenir une pâte homogène.

3. Égoutter le chou-fleur en réservant l'eau de cuisson. Découper le chou en petits bouquets et les ajouter à la sauce aux anchois. Délayer le safran dans un peu d'eau de cuisson, assaisonner avec le piment et verser le mélange sur le chou. Couvrir et laisser reposer 5 mn.

4. Plonger les nouilles dans l'eau de cuisson du chou-fleur et les laisser cuire *al dente*. Les égoutter, puis les mélanger avec le chou-fleur. Couvrir et laisser reposer 5 mn sur la plaque de cuisson éteinte. Poudrer de fromage au moment de servir.

SPAGHETTIS AUX POIVRONS

facile - végétarien

Une portion contient environ :
790 cal. Protides 24 g.
Lipides 43 g. Glucides 78 g.

Pour 4 personnes.

Préparation : environ 1 h 15.

- *400 g de spaghettis*
- *1 oignon*
- *2 gros poivrons*
- *200 g d'olives noires*
- *400 g de tomates en conserve*
- *8 cuil. à soupe d'huile d'olive extra-vierge*
- *80 g de pecorino fraîchement moulu*
- *sel*
- *poivre noir fraîchement moulu*

♦ Ce plat simple est originaire de la région romaine, où l'on préfère depuis toujours utiliser du *pecorino* plutôt que du parmesan dans les plats de pâtes. Cette spécialité doit absolument être saupoudrée de fromage de brebis, c'est ce qui lui donne sa note particulière.

1. Retirer le pédoncule des poivrons et les couper en quatre, les égrener, les laver et les essuyer. Couper les quartiers en fines lanières. Dénoyauter les olives et les hacher grossièrement. Égoutter les tomates et les couper en morceaux. Hacher finement l'oignon.

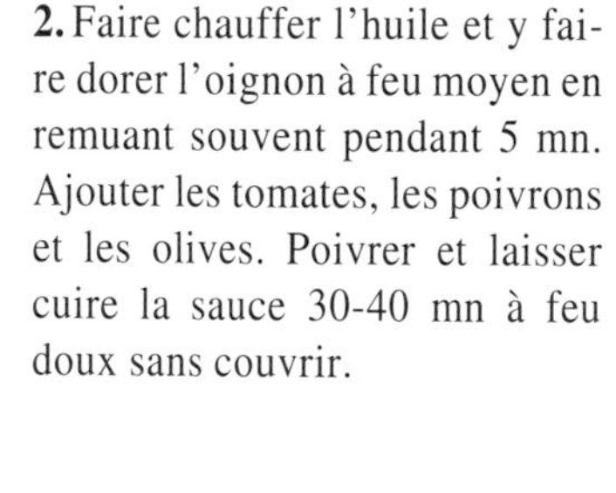

2. Faire chauffer l'huile et y faire dorer l'oignon à feu moyen en remuant souvent pendant 5 mn. Ajouter les tomates, les poivrons et les olives. Poivrer et laisser cuire la sauce 30-40 mn à feu doux sans couvrir.

3. Pendant ce temps, porter à ébullition dans une grande casserole une grande quantité d'eau salée. Y mettre les pâtes à cuire *al dente*. Faire chauffer un saladier ou un plat creux et égoutter les nouilles dans une passoire lorsqu'elles sont cuites.

4. Goûter la sauce avant de saler. La verser dans le plat chaud et bien la mélanger avec les spaghettis. Couvrir le plat et le laisser reposer 3-4 mn. Saupoudrer de fromage de brebis et servir aussitôt.

TORSADES AUX ÉPINARDS

végétarien

Une portion contient environ :
810 cal. Protides 27 g.
Lipides 45 g. Glucides 72 g.

Pour 4 personnes.

Préparation : 1 h environ.

- *400 g de torsades*
- *750 g d'épinards*
- *1 bouquet de persil*
- *1 bouquet de basilic*
- *60 g de beurre*
- *2 cuil. à soupe d'huile d'olive*
- *1 pincée de noix muscade fraîchement râpée*
- *1/4 l de crème liquide*
- *80 g de parmesan fraîchement râpé*
- *sel*

1. Couper finement le persil et le basilic. Bien laver les épinards à plusieurs eaux et les équeuter.

2. Les mettre à peine égouttés dans une marmite d'eau salée. Couvrir et les faire cuire à feu doux jusqu'à ce que les feuilles « fanent ». Les égoutter, les laisser tiédir, puis les essorer. Hacher finement les feuilles.

3. Faire cuire les pâtes *al dente* dans une grande quantité d'eau bouillante salée.

4. Faire chauffer l'huile et ajouter le beurre. Y faire revenir les herbes 2-3 mn à feu doux, puis ajouter les épinards et mélanger. Ajouter du sel, de la noix muscade et mélanger de nouveau. Couvrir et laisser cuire 5 mn. Arroser avec la crème liquide, mélanger et faire chauffer un peu avant de retirer la casserole du feu. Chauffer un saladier.

5. Égoutter les pâtes, puis les mélanger avec la préparation aux épinards et le parmesan dans le plat chaud. Couvrir et laisser reposer 3-4 mn.

PENNES AUX ASPERGES

pour recevoir - végétarien

Une portion contient environ :
570 cal. Protides 23 g.
Lipides 22 g. Glucides 75 g.

Pour 4 personnes.

Préparation : environ 1 h.

- *400 g de pennes*
- *1 branche de céleri*
- *1 petite carotte*
- *1 petit oignon*
- *400 g de tomates en boîte*
- *750 g d'asperges vertes*
- *75 g de beurre*
- *50 g de parmesan fraîchement râpé*
- *sel*
- *poivre blanc fraîchement moulu*

1. Hacher finement la branche de céleri ainsi que la carotte et l'oignon. Égoutter légèrement les tomates en recueillant leur jus, puis les couper grossièrement en morceaux.

2. Préparer les asperges en enlevant le bout terreux et en épluchant la partie blanche. Les couper ensuite en bâtonnets de 4 cm environ. Conserver 4 à 5 cm de long pour les pointes.

3. Faire fondre le beurre et y faire dorer à feu moyen le céleri, la carotte et l'oignon hachés. Ajouter les asperges et les faire cuire 5 mn. Incorporer les tomates, saler et poivrer. Couvrir et faire cuire à feu doux 15-20 mn. Si nécessaire, ajouter un peu de jus de tomate. Chauffer un saladier.

4. Faire cuire les pâtes *al dente* dans une grande quantité d'eau bouillante salée. Les égoutter et les mélanger avec la sauce aux asperges dans le saladier chaud. Couvrir et laisser reposer 2-3 mn. Poudrer de fromage et servir.

En haut : torsades aux épinards.
En bas : pennes aux asperges.

MACARONIS AUX TOMATES

facile - végétarien

Une portion contient environ :
600 cal. Protides 23 g.
Lipides 23 g. Glucides 75 g.

Pour 4 personnes.

Préparation : 1 h environ.

- *400 g de macaronis*
- *1 oignon*
- *1/2 bouquet de basilic*
- *800 g de tomates en conserve*
- *7 cuil. à soupe d'huile*
- *2 pincées de piment de Cayenne*
- *1 pincée de sucre*
- *1 feuille de laurier*
- *80 g de parmesan fraîchement râpé*
- *sel*

1. Éplucher l'oignon et le couper en petits dés. Si nécessaire, laver le basilic puis hacher grossièrement les feuilles. Verser les tomates dans un saladier et les écraser à la fourchette.

2. Faire chauffer 5 cuillerées à soupe d'huile et y faire revenir l'oignon 5 mn, puis ajouter les tomates avec leur jus. Saler et ajouter piment, sucre, laurier et basilic, puis laisser épaissir à feu doux et à découvert.

3. Pendant ce temps, casser les macaronis en morceaux de la longueur d'un doigt, puis les plonger dans une grande casserole d'eau bouillante salée. Les cuire *al dente*, puis les égoutter.

4. Retirer la feuille de laurier. Mélanger le reste de l'huile à la sauce. Ajouter les pâtes et les réchauffer si nécessaire. Servir avec le fromage à part.

TAGLIATELLES AUX CHAMPIGNONS

exclusif - végétarien

Une portion contient environ :
570 cal. Protides 26 g.
Lipides 20 g. Glucides 71 g.

Pour 4 personnes.

Préparation : 45 mn environ.

- *400 g de tagliatelles*
- *2 gousses d'ail*
- *400 g de tomates en conserve*
- *5 cuil. à soupe d'huile d'olive*
- *1/2 cuil. à café d'origan séché*
- *400 g de cèpes*
- *100 g de parmesan fraîchement râpé*
- *sel*
- *poivre blanc fraîchement moulu*

1. Éplucher et hacher finement l'ail. Égoutter les tomates dans une passoire et les écraser.

2. Faire chauffer 2 cuillerées à soupe d'huile dans une casserole. Y faire revenir l'ail 5 mn à feu moyen. Ajouter les tomates, l'origan, puis saler et poivrer. Faire épaissir la sauce 20 mn à feu doux.

3. Laver rapidement les champignons sous l'eau courante, puis les éponger et les couper en lamelles.

4. Faire revenir les champignons dans une grande poêle avec le reste de l'huile à feu vif jusqu'à complète évaporation de l'eau de végétation.

5. Mélanger les champignons à la sauce tomate, saler, poivrer, couvrir et laisser cuire 10 mn à feu doux.

6. Faire cuire les pâtes *al dente* dans une grande quantité d'eau bouillante salée. Faire chauffer un saladier. Égoutter les nouilles, puis les mélanger dans le saladier avec la sauce aux champignons. Ajouter le fromage au moment de servir.

En haut : tagliatelles aux champignons.
En bas : macaronis aux tomates.

SPAGHETTIS AUX PALOURDES

demande un peu de temps

Une portion contient environ :
550 cal. Protides 22 g.
Lipides 20 g. Glucides 72 g.

Pour 4 personnes.

Préparation : environ 1 h 45.

- *400 g de spaghettis*
- *1 kg de palourdes*
- *6 cuil. à soupe d'huile d'olive extra-vierge*
- *1 petit oignon*
- *3 gousses d'ail*
- *12 grandes feuilles de basilic*
- *350 g de tomates mûres*
- *1 ou 2 pincées de piment de Cayenne*
- *sel*

♦ Un plat très apprécié par les touristes en Italie. Les palourdes sont appelées clovisses en Méditerranée où elles sont souvent plus petites que celles péchées dans l'Atlantique ou dans la Manche.

1. Bien laver les palourdes dans plusieurs eaux. Jeter toutes celles qui sont ouvertes ou cassées. Les égoutter, puis les verser dans une grande marmite avec une cuillerée à soupe d'huile et couvrir.

2. Faire cuire à feu vif jusqu'à ce que presque tous les coquillages s'ouvrent. Au bout de 10 mn, les égoutter en recueillant leur jus. Jeter toutes celles qui ne seraient pas ouvertes.

3. Éplucher l'oignon et le hacher finement. Peler l'ail et le presser. Passer le basilic sous l'eau courante, le sécher sur du papier absorbant et le hacher menu.

4. Ébouillanter les tomates après avoir ôté le pédoncule et les peler. Les couper en quatre puis les épépiner. Hacher finement la pulpe.

5. Faire dorer l'oignon, l'ail et le basilic avec le reste de l'huile pendant 7 mn en remuant souvent. Ajouter les tomates, couvrir et laisser mijoter 30 mn sur feu doux.

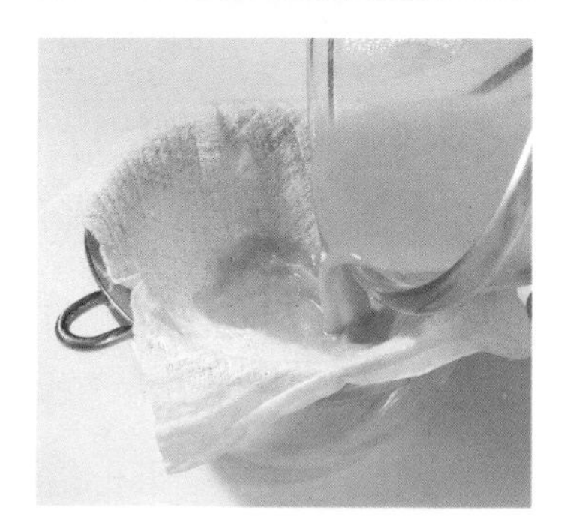

6. Filtrer le jus de cuisson des palourdes à travers un fin tamis ou un linge afin de se débarrasser du sable. Puis le verser dans la sauce tomate. Épicer et goûter avant de saler (l'eau des coquillages étant déjà salée).

7. Faire cuire les spaghettis *al dente* dans une grande quantité d'eau bouillante salée. Pendant ce temps, décoquiller les mollusques et les mettre à cuire encore 2 ou 3 mn dans la sauce tomate. Faire chauffer un saladier ou un plat creux.

8. Verser les pâtes dans une passoire et les égoutter. Les mettre dans le plat chaud et les napper de sauce aux coquillages. Bien mélanger et servir aussitôt. (On ne sert pas de fromage avec ce plat.)

VARIANTE

Spaghettis aux praires

Éplucher 6 gousses d'ail et les écraser à la fourchette ou avec le dos d'un large couteau. Les faire revenir à feu moyen dans une grande poêle avec 6 cuillerées à soupe d'huile d'olive et 1 ou 2 pincées de piment de Cayenne jusqu'à ce qu'elles soient bien dorées. Puis retirer le tout de la poêle. Préparer les praires comme indiqué dans la recette ci-contre, puis les mettre dans la poêle, couvrir et laisser cuire jusqu'à ce que presque tous les coquillages s'ouvrent. Pendant ce temps, faire cuire les spaghettis *al dente*, les égoutter en conservant 4 cuillerées à soupe de l'eau de cuisson. Verser les pâtes sur les coquillages et incorporer le mélange ail-piment. Servir les spaghettis dans des assiettes creuses chaudes. Répartir dessus les praires dans leurs coquilles et arroser avec le jus de cuisson. Parsemer les assiettes avec un bouquet de persil grossièrement haché. Poser sur la table un moulin à poivre, un saladier pour les coquilles vides et des rince-doigts avec des serviettes en papier.

SPAGHETTIS AUX SEICHES

pour recevoir

Une portion contient environ : 710 cal. Protides 35 g. Lipides 27 g. Glucides 78 g.

Pour 4 personnes.

Préparation : environ 2 h.

- *400 g de spaghettis*
- *500 g de seiches fraîches ou surgelées (ou de calamars)*
- *400 g de tomates en boîte*
- *1 oignon*
- *2 gousses d'ail*
- *1 branche de céleri*
- *1 carotte*
- *1 bouquet de persil*
- *1 brin de romarin frais ou 1 pincée de romarin séché*
- *5 cuil. à soupe d'huile d'olive extra-vierge*
- *3 cuil. à soupe de saindoux*
- *4 à 6 cuil. à soupe de vin blanc sec ou de bouillon de légumes*
- *sel*
- *poivre noir fraîchement moulu*

1. Faire décongeler les seiches. Les laver et retirer l'os interne. Couper les tentacules en morceaux et le corps en lanières de 1 cm de largeur.

2. Égoutter les tomates dans un tamis, puis les écraser au mixeur.

3. Éplucher l'oignon et le hacher menu. Peler l'ail et le presser. Effiler le céleri, le laver et le couper en fines lamelles. Laver la carotte, l'éplucher et la râper grossièrement. Laver le persil, le sécher et le ciseler finement. Laver le romarin, détacher les aiguilles et les hacher.

4. Faire chauffer 4 cuillerées à soupe d'huile et ajouter le saindoux. Y jeter l'oignon, l'ail, le céleri et la carotte et les faire revenir 5 mn à feu moyen jusqu'à ce qu'ils blondissent.

5. Ajouter les morceaux de tentacules aux légumes. Couvrir et laisser cuire 20 mn à feu doux jusqu'à ce qu'ils soient presque tendres. La durée de cette cuisson dépend de la taille de la seiche. Arroser de temps en temps avec le vin blanc.

6. Ajouter le persil, le romarin et laisser cuire encore 5 mn à découvert. Incorporer le reste des seiches et faire revenir de la même façon en remuant pendant 4-5 mn. Mettre les tomates, saler et bien poivrer. Couvrir et laisser cuire 30 mn-1 h à feu doux.

7. Pendant ce temps, faire cuire les pâtes *al dente* dans une grande quantité d'eau bouillante salée additionnée du reste de l'huile, puis les verser dans une passoire et bien les égoutter. Faire chauffer un saladier ou un plat creux.

8. Verser les spaghettis dans le saladier, les napper de sauce et bien les mélanger ou les servir séparément. On ne sert pas de fromage avec ce plat.

♦ Les seiches ne se mangent pas uniquement frites ou grillées, elles peuvent également accompagner un simple plat de pâtes.

Tout comme les moules et les crevettes, les seiches ou les calamars donnent un parfum particulier aux pâtes.

SPAGHETTIS AUX CREVETTES

pour recevoir

Une portion contient environ :
620 cal. Protides 27 g.
Lipides 25 g. Glucides 72 g.

Pour 4 personnes.
Préparation : 45 mn environ.

- *400 g de spaghettis fins*
- *350 g de crevettes fraîches décortiquées ou congelées*
- *3 gousses d'ail*
- *5 branches de basilic*
- *1/2 bouquet de persil*
- *300 g de tomates mûres*
- *1 cuil. à soupe d'huile d'olive*
- *100 g de beurre*
- *sel*
- *poivre blanc fraîchement moulu*

1. Faire décongeler les crevettes. Peler l'ail et le presser. Hacher séparément le basilic et le persil. Ébouillanter les tomates après avoir ôté le pédoncule puis les peler. Les couper en quatre et les épépiner. Écraser la pulpe finement.

2. Laver les crevettes et les couper grossièrement. Faire fondre le beurre. Y faire blondir l'ail 5 mn à feu doux en remuant souvent. Ajouter les crevettes et bien remuer. Incorporer les tomates et le basilic. Saler, poivrer et laisser mijoter 15 mn à couvert.

3. Faire cuire les pâtes *al dente* dans de l'eau bouillante salée et additionnée d'une cuillerée à soupe d'huile. Les égoutter, puis les mélanger avec le persil et la sauce aux crevettes ou servir les deux séparément.

SPAGHETTIS À LA SICILIENNE

raffiné

Une portion contient environ :
640 cal. Protides 39 g.
Lipides 20 g. Glucides 74 g.

Pour 4 personnes.
Préparation : 1 h environ.

- *400 g de spaghettis*
- *450 g de filet de daurade*
- *le jus de 1 citron*
- *2 gousses d'ail*
- *50 g d'olives vertes dénoyautées*
- *3 filets d'anchois*
- *1 cuil. à soupe de câpres*
- *1 bouquet de persil*
- *400 g de tomates en conserve*
- *5 cuil. à soupe d'huile d'olive*
- *12 cl de vin blanc sec*
- *1 cuil. à soupe d'huile d'olive*
- *2 pincées de piment de Cayenne*
- *sel*

1. Verser le jus de citron sur les filets de poisson. Presser l'ail. Couper grossièrement les olives. Hacher menu les anchois, les câpres et le persil. Égoutter les tomates en recueillant leur jus.

2. Faire chauffer l'huile. Y faire revenir l'ail, les olives, les anchois et les câpres 5 mn à feu doux. Verser le vin et le laisser s'évaporer sur feu moyen en remuant souvent. Ajouter les tomates. Saler, pimenter et laisser cuire 15 mn à feu doux. Arroser éventuellement de jus de tomate pendant la cuisson. Incorporer le persil. Saler les filets légèrement, puis les mettre dans la sauce. Couvrir et laisser frémir 10 mn en retournant les filets de poisson à mi-cuisson.

3. Faire cuire les spaghettis *al dente* dans de l'eau bouillante salée additionnée d'une cuillerée d'huile et les égoutter.

4. Émietter les filets de poisson et bien les mélanger à la sauce. Ajouter les pâtes et mélanger ou servir séparément.

En haut : spaghettis aux crevettes.
En bas : spaghettis à la sicilienne.

SPAGHETTIS AU THON

économique

Une portion contient environ :
570 cal. Protides 29 g.
Lipides 19 g. Glucides 71 g.

Pour 4 personnes.
Péparation : 50 mn environ.

- *400 g de spaghettis*
- *2 gousses d'ail*
- *4 filets d'anchois*
- *200 g de thon à l'huile*
- *1 bouquet de persil*
- *400 g de tomates en conserve*
- *2 ou 3 cuil. à soupe de bouillon*
- *3 cuil. à soupe d'huile d'olive*
- *1 pincée de piment de Cayenne*
- *sel*

♦ Les Italiens aiment le poisson et il n'est pas difficile de se procurer sur la côte toutes sortes de poissons. Ceux qui habitent l'intérieur des terres utilisent volontiers les conserves de poisson qui sont à l'origine de nombreuses recettes au thon.

1. Éplucher les gousses d'ail et les hacher finement avec les filets d'anchois. Égoutter le thon puis l'émietter avec une fourchette. Couper grossièrement les tomates en morceaux.

2. Faire chauffer l'huile. Y faire revenir l'ail et les anchois 5 mn à feu doux. Ajouter le thon, saler et épicer. Laisser cuire 5 mn, puis ajouter les tomates et couvrir. Faire mijoter le tout 20 mn à feu moyen.

3. Si la sauce est trop épaisse, la délayer éventuellement avec du bouillon. Laver le persil, le sécher et le hacher menu. L'incorporer juste avant la fin de la cuisson. Assaisonner encore une fois la sauce.

4. Faire cuire les spaghettis *al dente* dans une grande quantité d'eau bouillante salée, puis les égoutter. Les mélanger avec la sauce au thon. Couvrir et laisser 2-3 mn sur la plaque de cuisson éteinte. Servir sans fromage. On peut aussi servir les pâtes et la sauce séparément.

SPAGHETTIS SAUCE PIQUANTE

raffiné

Une portion contient environ : 710 cal. Protides 26 g. Lipides 38 g. Glucides 75 g.

Pour 4 personnes.

Préparation : environ 1 h.

- *400 g de spaghettis*
- *3 gousses d'ail*
- *8 ou 10 filets d'anchois*
- *150 g d'olives noires*
- *1 ou 2 cuil. à soupe de câpres*
- *500 g de grosses tomates mûres*
- *1 pincée de piment de Cayenne*
- *6 à 8 cuil. à soupe d'huile d'olive*
- *sel*

♦ Cette spécialité est originaire de l'île d'Ischia. Elle est simple, raffinée et d'un goût inhabituel ! C'est ce qui explique qu'elle se soit répandue depuis longtemps dans toute l'Italie continentale. Si vous ne la connaissez pas, essayez-la donc un jour.

1. Éplucher les gousses d'ail et les émincer en fines rondelles. Rincer les filets d'anchois et les couper finement. Dénoyauter les olives et les couper en petits dés. Hacher finement les câpres.

2. Ôter le pédoncule des tomates et les ébouillanter très rapidement. Les rafraîchir sous l'eau courante et les peler. Les couper en quatre, les égrener puis couper la chair en morceaux.

3. Faire chauffer l'huile. Y faire blondir l'ail à feu doux. Ajouter les filets d'anchois et les écraser. Ajouter les olives, les câpres et les tomates. Saler et épicer. Couvrir et laisser frémir 30 mn à feu doux.

4. Pendant ce temps, porter une grande quantité d'eau bouillante salée à ébullition et y faire cuire les spaghettis *al dente*, puis les égoutter dans une passoire. Faire chauffer un saladier ou un plat creux et y mélanger les pâtes et la sauce. Servir sans fromage.

COQUILLAGES AU POISSON

raffiné

Une portion contient environ : 670 cal. Protides 41 g. Lipides 22 g. Glucides 75 g.

Pour 4 personnes.

Préparation : 1 h 30 environ.

- *400 g de coquillages*
- *1 carotte*
- *2 oignons*
- *3 brins de persil*
- *1/2 feuille de laurier*
- *4 grains de poivre*
- *1 cuil. à café de jus de citron*
- *500 g de cabillaud en un seul morceau*
- *3 gousses d'ail*
- *5 filets d'anchois*
- *9 cuil. à soupe d'huile d'olive extra-vierge*
- *1 1/2 cuil. à soupe de purée de tomate*
- *3 cuil. à soupe de marsala sec*
- *sel*
- *poivre blanc fraîchement moulu*

1. Éplucher la carotte et la couper en rondelles. Peler également 1 oignon et l'émincer en fines lamelles. Laver les brins de persil.

2. Mettre dans une casserole avec 1 litre d'eau, la carotte, l'oignon, le persil, le laurier et les grains de poivre. Porter à ébullition et laisser frémir 20 mn. Saler et ajouter le jus de citron.

3. Faire cuire le poisson 20 mn dans ce court-bouillon à feu doux et à couvert jusqu'à ce que les nageoires se détachent. Sortir le poisson du bouillon et le laisser un peu refroidir. Passer le court-bouillon dans une passoire fine et en mesurer 12 cl. Réserver.

4. Éplucher le second oignon et le hacher finement. Peler et couper les gousses d'ail en minces rondelles. Hacher finement les filets d'anchois.

5. Hacher la chair du poisson après avoir retiré les nageoires, la peau et les arêtes.

6. Faire chauffer dans une grande casserole 5 cuillerées d'huile et y faire blondir l'oignon 5 mn à feu moyen en remuant souvent. Ajouter le poisson en petits morceaux et laisser cuire 5 mn. Délayer la purée de tomate avec le court-bouillon, puis verser dans la casserole. Bien mélanger, couvrir et laisser encore bouillonner 10 mn à feu doux.

7. Pendant ce temps, faire chauffer 3 cuillerées d'huile dans une petite poêle. Y faire revenir l'ail émincé sur feu doux jusqu'à ce qu'il soit doré. Ajouter les filets d'anchois et remuer le tout à la fourchette jusqu'à obtention d'un mélange homogène.

8. Porter à ébullition une grande quantité d'eau salée avec la cuillerée d'huile restante et y faire cuire *al dente* les pâtes, puis les égoutter.

9. Ajouter la sauce aux anchois à la sauce de poisson, puis bien mélanger dans la casserole. Y verser ensuite le marsala. Saler et poivrer.

10. Mélanger les pâtes à la sauce. Couvrir et laisser encore 2-3 mn sur la plaque de cuisson éteinte. Ce plat est d'un bel effet si vous servez les pâtes et la sauce séparément. On ne sert pas de fromage avec ce plat.

Le poisson ne s'accompagne pas uniquement de pommes de terre. Étroitement associé à des pâtes, il procure des sensations gustatives nouvelles. La preuve : les coquillages au poisson.

SPAGHETTIS À LA CARBONARA

facile

Une portion contient environ :
880 cal. Protides 36 g.
Lipides 53 g. Glucides 70 g.

Pour 4 personnes.
Préparation : environ 40 mn.

- *400 g de spaghettis*
- *3 gousses d'ail*
- *150 g de lard fumé maigre*
- *2 cuil. à soupe de saindoux*
- *3 œufs*
- *50 g de pecorino et 50 g de parmesan fraîchement râpés*
- *sel*
- *poivre blanc fraîchement moulu*

1. Peler l'ail et le presser. Couper le lard en petits dés.

2. Faire fondre le saindoux dans une grande poêle pouvant aller à table. Y faire blondir l'ail et les lardons sur feu doux. Puis les retirer de la poêle.

3. Faire cuire les pâtes *al dente* dans de l'eau bouillante salée.

4. Pendant ce temps, fouetter les œufs vivement avec le fromage, du poivre et du sel.

5. Égoutter les spaghettis et les mélanger avec l'ail et les lardons dans la poêle, puis retirer la poêle du feu. Arroser avec la préparation aux œufs et mélanger rapidement et soigneusement le tout avec deux fourchettes. Servir aussitôt le plat dans la poêle.

BUCATINIS À LA CALABRAISE

facile

Une portion contient environ :
740 cal. Protides 31 g.
Lipides 35 g. Glucides 74 g.

Pour 4 personnes.
Préparation : 1 h environ.

- *400 g de bucatinis ou de spaghettis*
- *3 gousses d'ail*
- *1 carotte*
- *1 branche de céleri*
- *12 grandes feuilles de basilic*
- *150 g de jambon cru découenné*
- *400 g de tomates mûres*
- *50 g de saindoux*
- *1 pincée de piment de Cayenne*
- *50 g de parmesan et 50 g de pecorino fraîchement râpés*
- *sel*

1. Presser l'ail. Hacher très finement la carotte et le céleri. Ciseler les feuilles de basilic. Couper le jambon en petits dés.

2. Faire fondre le saindoux dans une casserole pouvant contenir les pâtes ultérieurement. Y faire revenir l'ail, la carotte et le céleri pendant 8-10 mn à feu moyen en remuant souvent.

3. Ébouillanter les tomates, les peler, les couper en quatre et les épépiner : hacher grossièrement la pulpe.

4. Ajouter les dés de jambon aux légumes et laisser cuire 5 mn à feu moyen. Incorporer les tomates. Saler, poivrer et assaisonner avec le piment et le basilic. Couvrir et laisser frémir 15-20 mn à feu doux.

5. Pendant ce temps, faire cuire les nouilles *al dente* dans une grande quantité d'eau bouillante salée. Les égoutter et bien les mélanger avec la sauce dans la casserole. Servir aussitôt dans un plat creux avec le fromage à part.

En haut : spaghettis à la carbonara.
En bas : bucatinis à la calabraise.

PÂTES AU PORC

facile

Une portion contient environ :
810 cal. Protides 38 g.
Lipides 40 g. Glucides 74 g.

Pour 4 personnes.
Préparation : 1 h 45 environ.

- *400 g de rigatonis (grosses nouilles creuses) ou de macaronis*
- *400 g de tomates en conserve*
- *1 bouquet de basilic*
- *2 oignons*
- *400 g de jambonneau*
- *1 pincée de piment de Cayenne*
- *2 cuil. à soupe de saindoux*
- *1 cuil. à soupe d'huile*
- *60 g de pecorino fraîchement râpé*
- *sel*

1. Passer les tomates au tamis. Écraser grossièrement le basilic. Hacher finement les oignons. Couper la viande en gros cubes.

2. Faire fondre le saindoux dans une sauteuse. Y faire blondir les oignons pendant 5 mn à feu moyen. Ajouter la viande et la faire revenir sur feu vif en remuant souvent. Mettre les tomates et le basilic. Saler, épicer et mélanger. Couvrir et laisser cuire 1 h sur feu doux. Ajouter éventuellement quelques cuillerées à soupe d'eau chaude pendant la cuisson.

3. Faire cuire les pâtes *al dente* dans l'eau bouillante salée additionnée d'une cuillerée d'huile. Égoutter les pâtes et servir avec le ragoût. Présenter le fromage à part.

SPAGHETTIS À LA BOLOGNAISE

demande un peu de temps

Une portion contient environ :
830 cal. Protides 39 g.
Lipides 43 g. Glucides 73 g.

Pour 4 personnes.
Préparation : environ 1 h 45.

- *400 g de spaghettis*
- *1 petit oignon*
- *1 petite carotte*
- *1 branche de céleri*
- *50 g de lard découenné*
- *400 g de tomates en conserve*
- *4 cuil. à soupe d'huile d'olive*
- *20 g de beurre*
- *200 g de bifteck haché*
- *100 g de chair à saucisse*
- *5 cl de vin rouge*
- *5 cuil. à soupe de bouillon de viande*
- *1 clou de girofle*
- *1 feuille de laurier*
- *noix muscade fraîchement râpée*
- *80 g de parmesan fraîchement râpé*
- *sel*
- *poivre noir moulu*

1. Éplucher l'oignon et la carotte. Les hacher séparément ainsi que le céleri nettoyé. Couper le lard finement. Égoutter les tomates et les écraser en recueillant le jus.

2. Faire chauffer l'huile dans une sauteuse et ajouter le beurre. Y faire revenir le hachis de légumes et le lard pendant 5 mn sur feu doux.

3. Ajouter la viande hachée, la chair à saucisse et laisser cuire 5 mn en émiettant avec une fourchette. Arroser avec le vin et le laisser s'évaporer.

4. Lorsque tout le liquide s'est évaporé, verser le bouillon, la purée de tomate et assaisonner avec du sel, du poivre, le clou de girofle, le laurier et la noix muscade. Mélanger, couvrir et laisser cuire 1 h sur feu doux en remuant souvent.

5. Pendant ce temps, faire cuire les pâtes *al dente* dans de l'eau bouillante salée, puis les égoutter. Les répartir dans les assiettes et les napper de ragoût. Servir le fromage à part.

En haut : spaghettis à la bolognaise.
En bas : pâtes au porc.

LASAGNES GRATINÉES

pour recevoir

Une portion contient environ : 1 500 cal. Protides 66 g. Lipides 99 g. Glucides 68 g.

Pour 4 personnes.
Préparation : environ 2 h.

- *350 g de lasagnes (à utiliser avec ou sans précuisson)*
- *1 oignon*
- *3 gousses d'ail*
- *400 g de tomates en conserve*
- *1 cuil. à soupe de purée de tomate*
- *100 g de beurre mou*
- *2 pincées de piment de Cayenne*
- *4 ou 5 œufs*
- *300 g de mozzarella*
- *100 g de lard fumé découenné*
- *300 g de saucisses fraîches épicées*
- *12 cl de vin blanc sec ou de bouillon de viande*
- *1 cuil. à soupe d'huile d'olive*
- *50 g de pecorino et 50 g de parmesan fraîchement râpés*
- *sel*

1. Peler l'oignon et l'ail, puis les hacher finement. Passer les tomates au tamis, puis les mélanger à la purée de tomate.

2. Faire fondre 2 cuillerées à soupe de beurre. Y faire revenir l'ail et l'oignon 8 mn sur feu doux en remuant à plusieurs reprises. Ajouter les tomates. Saler, épicer et laisser mijoter le tout. Faire cuire à peine, si les lasagnes utilisées ne sont pas précuites.

3. Pendant ce temps, faire durcir les œufs en 10 mn. Au bout de ce temps, les retirer du feu, les passer sous l'eau courante et les écaler, puis les couper en petits morceaux. Couper aussi la mozzarella et le lard en fines tranches. Retirer la peau des saucisses et émietter la chair.

4. Faire fondre dans une poêle 1/2 cuillerée à soupe de beurre et y faire dorer les lardons à feu doux. Ajouter la chair des saucisses et faire cuire le tout 5 mn à feu moyen, en émiettant la chair. Verser le vin blanc ou le bouillon et le laisser s'évaporer sur feu vif en remuant souvent. Mélanger cette préparation avec la sauce tomate, couvrir et faire cuire encore 15 mn à feu doux.

5. Mettre à précuire les lasagnes dans une grande quantité d'eau bouillante salée. Ajouter l'huile et cuire les pâtes selon les indications du paquet. Sortir les lasagnes de l'eau avec une écumoire et laisser égoutter, puis les éponger soigneusement sur un linge.

6. Préchauffer le four à 200 °C et beurrer un plat à four.

7. Garnir le fond du plat d'une couche de lasagnes. La recouvrir d'une couche de sauce et la parsemer de mozzarella et de morceaux d'œufs, puis de parmesan et de pecorino alternativement. Étaler de nouveau une couche de lasagnes et continuer ainsi jusqu'à épuisement des ingrédients (en réservant quelques cuillerées de sauce et de fromage râpé).

8. Enduire les dernières lasagnes avec le reste de la sauce, parsemer avec le reste du fromage et répartir sur le dessus le reste du beurre en noisettes.

9. Glisser le plat au milieu du four et laisser cuire 30-35 mn, jusqu'à ce que la surface soit dorée. Servir chaud dans le plat de cuisson.

Les femmes de la région de Molise (près des Abruzzes) sont des spécialistes des plats épicés et généreux. Les lasagnes gratinées en sont une illustration.

TAGLIATELLES AUX 2 COULEURS

facile

Une portion contient :
810 cal. Protides 31 g.
Lipides 47 g. Glucides 69 g.

Pour 4 personnes.
Préparation : environ 20 mn.

- *400 g de tagliatelles fines aux 2 couleurs*
- *150 g de jambon cuit maigre*
- *80 g de beurre*
- *200 g de crème liquide*
- *100 g de parmesan fraîchement râpé*
- *noix muscade fraîchement râpée*
- *sel, poivre blanc fraîchement moulu*

1. Faire cuire les pâtes *al dente* dans de l'eau bouillante salée. Puis les égoutter. Couper le jambon en petits morceaux.

2. Faire fondre le beurre dans une grande casserole pouvant aller à table et ajouter la crème liquide. Mélanger de façon homogène le parmesan à cette crème légèrement chauffée. Saler, poivrer et ajouter la noix muscade.

3. Ajouter le jambon et les pâtes cuites dans la sauce. Bien mélanger le tout. Couvrir et laisser chauffer pendant 1-2 mn à feu doux, puis servir directement dans la casserole.

NOUILLES AU CANARD

pour recevoir

Une portion contient environ :
1 700 cal. Protides 100 g.
Lipides 110 g. Glucides 72 g.

Pour 4 personnes.
Préparation : environ 2 h 30.

- *400 g de pappardelles (nouilles plates et larges)*
- *1 petit canard prêt à cuire*
- *1 oignon*
- *1 gousse d'ail*
- *1 carotte*
- *1 branche de céleri*
- *100 g de lard fumé maigre*
- *1 bouquet de persil*
- *4 feuilles de sauge*
- *1 brin de romarin*
- *1 brin de thym*
- *1 feuille de laurier*
- *3 cuil. à soupe d'huile d'olive*
- *10 cl de vin blanc sec*
- *1 cuil. à soupe de purée de tomate*
- *10 cl de bouillon de viande*
- *60 g de parmesan fraîchement râpé*
- *sel*
- *poivre noir fraîchement moulu*

1. Découper le canard en 8 ou 10 morceaux. Couper en petits dés la carotte, l'ail, l'oignon, le céleri et le lard. Hacher menu les herbes.

2. Faire chauffer l'huile dans une marmite. Y faire blondir 5 mn les légumes et les lardons à feu moyen. Ajouter les herbes hachées et le laurier. Répartir les morceaux de canard par-dessus et les faire revenir 10 mn de tous les côtés à feu moyen.

3. Arroser avec le vin et tourner la viande jusqu'à ce que le vin se soit évaporé de moitié. Délayer la purée de tomate dans le bouillon, puis verser le mélange sur la viande. Saler, poivrer et bien mélanger. Couvrir et laisser cuire environ 1 h 15-1 h 30 à feu doux.

4. Pendant ce temps, faire cuire les pâtes *al dente* dans une grande quantité d'eau bouillante salée puis les égoutter. Retirer la viande de la marmite lorsqu'elle est cuite et la maintenir au chaud. Verser les pâtes dans la sauce du canard et les mélanger. Disposer les morceaux de viande sur les pâtes et servir.

En haut : nouilles au canard.
En bas : tagliatelles aux 2 couleurs.

LASAGNES

pour recevoir

Une portion contient environ :
1 400 cal. Protides 62 g.
Lipides 80 g. Glucides 80 g.

Pour 4 personnes.
Préparation : environ 1 h.
Cuisson : 2 h 45.

- *300 g de lasagnes*
- *1 oignon*
- *1 grosse carotte*
- *1 branche de céleri*
- *50 g de lard entrelardé et découenné*
- *400 g de tomates en conserve*
- *350 g d'un mélange de viandes hachées maigres (par exemple 175 g de veau et 175 g de filet de porc)*
- *125 g de beurre*
- *10 cl de vin rouge ou de bouillon de viande*
- *10 cl de bouillon de viande*
- *60 cl de lait*
- *50 g de farine*
- *300 g de mozzarella*
- *1 cuil. à soupe d'huile d'olive*
- *70 g de parmesan fraîchement râpé*
- *sel*
- *poivre blanc fraîchement moulu*

1. Hacher finement l'oignon, la carotte, le céleri et le lard. Réduire les tomates en purée.

2. Faire blondir le lard dans 50 g de beurre, puis ajouter les légumes. Mettre la viande coupée en tout petits morceaux et la faire revenir à feu vif. Verser ensuite le vin et le laisser s'évaporer sur feu moyen en tournant de temps en temps. Ajouter la moitié du bouillon. Baisser le feu et laisser frémir en ajoutant peu à peu le reste du bouillon.

3. Ajouter les tomates à la viande. Saler et poivrer le ragoût. Verser environ 1/4 litre de lait. Couvrir et faire réduire le liquide à feu doux au moins 2 h.

4. Pour la sauce Béchamel, faire fondre 50 g de beurre dans une casserole, poudrer de farine, et, tout en remuant sans arrêt avec un fouet, arroser avec le reste de lait. Porter à ébullition et laisser frémir 10 mn à feu doux. Saler et poivrer la sauce qui ne doit pas être trop épaisse. Au besoin, ajouter un peu de lait.

5. Couper la mozzarella en petits cubes.

6. Faire bouillir de l'eau salée additionnée d'une cuillerée d'huile et y plonger les lasagnes. Les laisser cuire jusqu'à ce qu'elles soient tendres, puis les égoutter. Les rincer sous l'eau courante, les égoutter à nouveau et bien les éponger sur un linge.

7. Préchauffer le four à 180 °C. Beurrer un plat à four.

8. Y disposer une première couche de pâtes. Étaler une couche de ragoût, puis la couvrir de Béchamel et garnir de cubes de mozzarella. Saupoudrer de parmesan et poivrer. Répéter l'opération jusqu'à épuisement des ingrédients. La dernière couche de pâtes doit être entièrement recouverte de sauce Béchamel. Parsemer par-dessus le reste de parmesan et quelques noix de beurre. Mettre à cuire 30 à 40 mn au milieu du four, jusqu'à ce que sa surface soit dorée. Servir dans le plat de cuisson.

♦ La recette vient d'une de mes amies comtesse, originaire de Bologne.

Les lasagnes gratinées à la viande sont délicieuses et très appréciées.

TAGLIATELLES AU GIBIER

exclusif

Une portion contient environ : 880 cal. Protides 61 g. Lipides 37 g. Glucides 75 g.

Pour 4 personnes.
Préparation : 2 h 30-3 h.

- *400 g de tagliatelles*
- *750 g de cerf ou de biche pour ragoût*
- *1 oignon*
- *2 gousses d'ail*
- *2 carottes*
- *1 branche de céleri*
- *75 g de lard fumé maigre*
- *3 ou 4 cuil. à soupe d'huile d'olive*
- *400 g de tomates en conserve*
- *1 feuille de laurier*
- *2 clous de girofle*
- *1 pincée de thym séché*
- *12 cl de bouillon de légumes*
- *1 cuil. à soupe de beurre*
- *3 cuil. à soupe de parmesan fraîchement râpé*
- *noix muscade fraîchement râpée*
- *sel, poivre noir*

1. Hacher finement l'oignon et l'ail, ainsi que les carottes, le céleri et le lard.

2. Couper la viande en morceaux de 2 à 3 cm. Faire chauffer l'huile et y faire brunir la viande de tous les côtés, puis la retirer et réserver. Faire revenir les légumes et le lard dans l'huile. Ajouter les tomates avec leur jus et les écraser à la fourchette. Saler, poivrer, ajouter la noix muscade, le laurier, les clous de girofle et le thym. Remettre la viande par-dessus. Ajouter le bouillon brûlant. Bien mélanger, couvrir et laisser cuire pendant 1 h 30 à 2 h à feu doux.

3. Faire cuire les pâtes *al dente* à l'eau bouillante salée, puis les égoutter et les mélanger avec le beurre. Servir avec le ragoût et le parmesan à part.

MACARONIS À L'AGNEAU

pour recevoir

Une portion contient environ : 1 200 cal. Protides 49 g. Lipides 77 g. Glucides 76 g.

Pour 4 personnes.
Préparation : environ 2 h.

- *400 g de macaronis*
- *750 g d'épaule d'agneau désossée*
- *1 oignon*
- *2 branches de céleri*
- *800 g de tomates en conserve*
- *6 cuil. à soupe d'huile d'olive*
- *12 cl de vin blanc sec*
- *2 pincées de piment de Cayenne*
- *2 feuilles de laurier*
- *50 g de pecorino fraîchement râpé*
- *sel*

1. Hacher finement l'oignon et le céleri. Égoutter légèrement les tomates en recueillant le jus, puis les couper grossièrement en morceaux. Couper la viande en gros cubes.

2. Faire chauffer dans une poêle sur feu vif, 5 cuillerées à soupe d'huile et y faire rissoler la viande. La mélanger 5 mn à feu moyen avec l'oignon et le céleri. Arroser avec le vin et faire réduire en tournant, puis ajouter les tomates sans leur jus. Saler, épicer et ajouter les feuilles de laurier. Couvrir et réduire le feu. Laisser cuire 1 h 30. Ajouter éventuellement un peu de jus de tomate.

3. Casser les nouilles en morceaux de 4 à 5 cm de long. Les cuire *al dente* dans de l'eau bouillante salée additionnée du reste de l'huile, puis les égoutter. Servir avec le ragoût et le fromage.

En haut : tagliatelles au gibier.
En bas : macaronis à l'agneau.

CANNELLONIS

pour recevoir

Une portion contient environ : 1 000 cal. Protides 54 g. Lipides 63 g. Glucides 65 g.

Pour 4 personnes.
Préparation : 2 h 15 environ.

- *20 cannellonis*
- *350 g de viande hachée (mélange veau et porc)*
- *100 g de jambon cuit*
- *2 petits oignons*
- *2 gousses d'ail*
- *400 g de tomates en conserve*
- *1 bouquet de persil*
- *6 cuil. à soupe d'huile d'olive*
- *250 g d'épinards*
- *2 œufs*
- *100 g de parmesan fraîchement râpé*
- *50 g de beurre*
- *25 g de farine*
- *15 à 18 cl de lait*
- *1 noix de beurre pour le plat*
- *sel, poivre blanc fraîchement moulu*

1. Éplucher les oignons et l'ail. Hacher les oignons et presser l'ail. Écraser les tomates à la fourchette. Laver le persil, le sécher et le hacher finement.

2. Faire chauffer dans une casserole 3 cuillerées à soupe d'huile et y faire blondir la moitié des oignons, de l'ail et du persil 5 mn à feu moyen. Ajouter les tomates. Saler et poivrer. Couvrir et laisser cuire 30 mn à feu doux.

3. Pendant ce temps, laver soigneusement les épinards et les mettre dans une casserole d'eau salée sans les égoutter. Couvrir et les cuire à feu vif jusqu'à ce que les feuilles « fanent », puis les égoutter, les laisser tiédir et les essorer entre les mains. Les hacher grossièrement. Hacher également le jambon.

4. Faire chauffer dans une poêle le reste de l'huile. Y faire dorer le reste des oignons et de l'ail 5 mn à feu moyen. Ajouter la viande et la faire revenir 5 mn à feu vif, en l'émiettant avec une fourchette. Verser le contenu de la casserole dans une jatte avec les épinards et le jambon et laisser un peu refroidir. Fouetter les 2 œufs avec du sel, du poivre, la moitié du fromage et incorporer ce mélange dans la jatte. Malaxer le tout en une pâte homogène avec les mains.

5. Mettre les cannellonis à cuire *al dente* dans une grande quantité d'eau bouillante salée. Les égoutter et les poser sur un linge.

6. Faire fondre la moitié du beurre, poudrer de farine, et, tout en remuant, arroser avec le lait. Porter à ébullition et laisser frémir 5 mn. Saler et poivrer.

7. Préchauffer le four à 200 °C. Beurrer un plat à four.

8. Farcir les cannellonis avec la préparation de viande et d'épinards.

9. Répartir la moitié de la sauce tomate dans le fond du plat. Y disposer 10 cannellonis farcis les uns à côté des autres et étaler dessus avec une cuillère la moitié de la sauce Béchamel. Puis poser dessus les derniers cannellonis farcis et les napper du reste de la sauce tomate et de la béchamel. Parsemer le dessus avec le reste du parmesan, le reste du beurre en noisettes. Enfourner les cannellonis et les cuire 35 mn jusqu'à ce que le fromage fonde et brunisse.

Les cannellonis sont très riches : avec des épinards, du jambon, de la viande hachée et des œufs, c'est un plat complet.

GRATIN DE PÂTES AUX CHAMPIGNONS

facile

Une portion contient environ :
1 000 cal. Protides 38 g.
Lipides 63 g. Glucides 74 g.

Pour 4 personnes.

Préparation : environ 1 h.

- *350 g de nouilles plates étroites*
- *300 g de champignons de Paris*
- *100 g de fontina (fromage italien en tranches)*
- *140 g de beurre*
- *50 g de farine*
- *1/2 l de lait*
- *noix muscade fraîchement râpée*
- *2 jaunes d'œufs*
- *3 cuil. à soupe de parmesan fraîchement râpé*
- *sel*
- *poivre blanc fraîchement moulu*

1. Laver rapidement les champignons, puis bien les éponger et les émincer en fines lamelles. Couper également le fontina en petits morceaux ou le râper. Porter à ébullition une grande quantité d'eau salée dans une grande casserole.

2. Faire fondre dans une casserole 50 g de beurre. Y faire roussir la farine, et, tout en remuant avec un fouet, arroser avec le lait. Saler, poivrer et ajouter la noix muscade. Faire bouillir la sauce un court instant, puis y laisser fondre le fontina. Préchauffer le four à 220 °C.

3. Faire revenir les champignons 10 mn dans 30 g de beurre à feu doux et à découvert. Plonger les nouilles dans l'eau bouillonnante, les cuire *al dente* et les égoutter. Bien les mélanger dans la même casserole avec 50 g de beurre, les jaunes d'œufs et un tiers de la sauce. Incorporer ensuite les champignons.

4. Beurrer un plat à four avec le beurre restant. Le garnir avec les nouilles et verser le reste de la sauce Béchamel par-dessus. Parsemer de parmesan. Mettre le plat au milieu du four et le faire gratiner en 15 mn.

GALETTE AUX CREVETTES

facile

Une portion contient environ :
640 cal. Protides 38 g.
Lipides 29 g. Glucides 60 g.

Pour 4 personnes.

Préparation : 30-45 mn.

- *350 g de spaghettis*
- *200 g de crevettes décortiquées fraîches ou congelées*
- *1 bouquet de persil*
- *3 œufs*
- *6 cuil. à soupe d'huile d'olive*
- *80 g de parmesan fraîchement râpé*
- *sel*
- *poivre blanc fraîchement moulu*

♦ Cette façon de préparer les spaghettis en omelette remonte à une ancienne tradition. Cette brillante idée est sans doute venue à une maîtresse de maison qui avait cuit une énorme quantité de pâtes dont ses hôtes n'avaient pu arriver à bout. Avec les restes, la géniale italienne inventa une spécialité.

1. Faire cuire les pâtes *al dente* dans une grande quantité d'eau bouillante salée et les égoutter dans une passoire, puis les rincer sous l'eau froide. Les égoutter soigneusement de nouveau. Pour ce plat, les pâtes doivent exceptionnellement être passées à l'eau froide.

2. Pendant ce temps, couper grossièrement les crevettes ou les garder entières (les décongeler si besoin). Laver le persil, le sécher et le hacher finement.

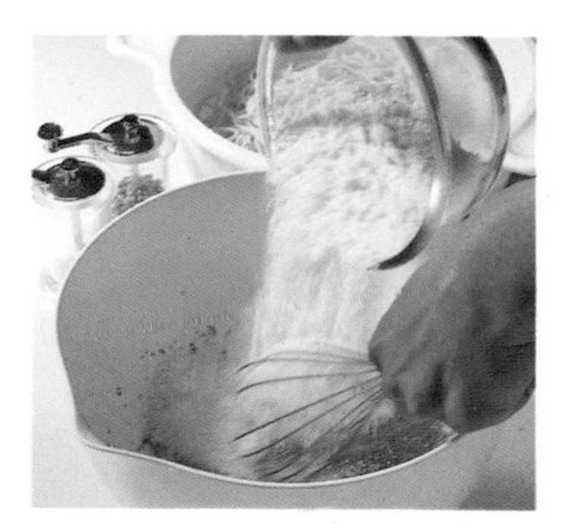

3. Battre au fouet dans un grand saladier, les œufs avec le persil et le fromage jusqu'à obtenir une pâte lisse. Incorporer les crevettes. Saler et poivrer la préparation. Puis ajouter les spaghettis et mélanger soigneusement.

4. Faire chauffer dans une grande poêle la moitié de l'huile d'olive. Y verser la préparation de nouilles et faire cuire à feu doux jusqu'à ce que le dessous soit brun-clair en secouant la poêle. Retourner l'omelette à l'aide d'un couvercle et faire croustiller l'autre côté dans le reste de l'huile.

TORTELLINIS AU PARMESAN

rapide

Une portion contient environ :
790 cal. Protides 25 g.
Lipides 37 g. Glucides 86 g.

Pour 4 personnes.
Préparation : environ 30 mn.

- *500 g de tortellinis en sachet (farcis) ou 800 g de frais*
- *40 g de beurre*
- *250 g de crème liquide*
- *noix muscade fraîchement râpée*
- *80 g de parmesan fraîchement râpé*
- *sel*

1. Faire cuire les tortellinis *al dente* dans de l'eau bouillante salée, puis les retirer avec l'écumoire.

2. Faire chauffer doucement dans une grande casserole le beurre et 10 cl de crème liquide. Saler et ajouter la noix muscade.

3. Verser les tortellinis dans la crème chaude et les mélanger en secouant la casserole.

4. Ajouter alternativement et cuillerée par cuillerée le fromage et le reste de la crème tout en continuant de secouer la casserole pour que la sauce devienne lisse et s'étende régulièrement autour des tortellinis.

VARIANTE

Tortellinis aux noix
Écraser finement 25 à 30 cerneaux de noix. Verser le hachis dans une terrine et ajouter progressivement 250 g de crème liquide légèrement chauffée. Y mélanger 100 g de beurre mou. Saler et poivrer. Incorporer les tortellinis chauds et égouttés.

RAVIOLIS SAUCE TOMATE

pour recevoir

Une portion contient environ :
550 cal. Protides 26 g.
Lipides 9 g. Glucides 92 g.

Pour 4 personnes.
Préparation : environ 1 h.

- *500 g de raviolis en sachet ou 800 g de raviolis frais*
- *1 oignon*
- *1/2 bouquet de basilic*
- *800 g de tomates en conserve*
- *8 cuil. à soupe d'huile d'olive*
- *2 pincées de piment de Cayenne*
- *1 pincée de sucre*
- *1 feuille de laurier*
- *80 g de parmesan râpé*
- *sel*

1. Peler et émincer l'oignon. Ciseler grossièrement le basilic. Écraser les tomates.

2. Faire chauffer 5 cuillerées à soupe d'huile et y faire blondir l'oignon 5 mn à feu moyen, puis ajouter les tomates. Ajouter le piment, le sucre, le laurier et le basilic. Laisser épaissir la sauce à découvert. Goûter avant de saler.

3. Porter à ébullition une grande quantité d'eau salée additionnée d'une cuillerée d'huile dans une marmite, y faire cuire les raviolis *al dente*.

4. Retirer la feuille de laurier de la sauce. Y incorporer le reste de l'huile et assaisonner éventuellement encore un peu. Chauffer un plat creux.

5. Y verser les raviolis délicatement, puis les mélanger avec la sauce ou servir les deux séparément. Servir le fromage à part.

En haut : tortellinis au parmesan.
En bas : raviolis sauce tomate.

GNOCCHIS DE LA RÉGION DE TRENTE

facile

Une portion contient environ :
600 cal. Protides 25 g.
Lipides 31 g. Glucides 52 g.

Pour 4 personnes.
Préparation : environ 1 h.

- *12 cl de lait*
- *2 œufs*
- *noix muscade râpée*
- *100 g de parmesan râpé*
- *300 g de farine*
- *80 g de beurre*
- *sel, poivre noir moulu*

1. Faire tiédir le lait. Fouetter les œufs dans un saladier avec une 1/2 cuillerée à café de sel, une bonne pincée de noix muscade, la moitié du parmesan et la farine. Ajouter le lait et travailler le tout en une pâte lisse. Porter à ébullition une grande quantité d'eau.

2. Confectionner des rouleaux de pâte de l'épaisseur du petit doigt, puis les couper en morceaux de 3 cm de long.

3. Laisser glisser les gnocchis par petites quantités dans l'eau bouillante. Lorsqu'ils sont cuits, ils remontent à la surface. Les retirer avec une écumoire, les égoutter et les tenir au chaud dans un plat creux.

4. Les arroser avec le beurre fondu. Les parsemer avec le reste du parmesan, poivrer et servir.

GNOCCHIS AUX ÉPINARDS

raffiné - végétarien

Une portion contient environ :
550 cal. Protides 30 g.
Lipides 36 g. Glucides 24 g.

Pour 4 personnes.
Préparation : 2 h environ.

- *750 g d'épinards*
- *200 g de ricotta (fromage frais italien)*
- *100 g de beurre*
- *2 œufs*
- *120 g de farine*
- *100 g de parmesan fraîchement moulu*
- *noix muscade râpée*
- *sel, poivre noir moulu*

1. Bien presser la ricotta dans une mousseline et l'écraser à la fourchette.

2. Nettoyer les épinards, les laver et les mettre dans une casserole d'eau salée sans les égoutter. Laisser cuire 4 mn, le temps que les légumes « fanent ». Bien les presser dans un tamis et les hacher.

3. Faire fondre dans une casserole 2 cuillerées à soupe de beurre et y faire sécher les épinards quelques minutes, puis incorporer la ricotta. Retirer la casserole du feu.

4. Battre les œufs. Les travailler avec la farine et 30 g de parmesan en une pâte lisse. Mélanger avec les épinards, saler, poivrer et ajouter la noix muscade. Laisser reposer la pâte au frais pendant 45 mn.

5. Faire bouillir une grande quantité d'eau. Prélever une cuillerée à café de pâte et rouler une boule dans la paume de la main. Faire fondre la moitié du reste du beurre dans un plat à four. Tester la cuisson du gnocchi en le faisant cuire dans l'eau bouillante pendant 5-7 mn. S'il se défait, rajouter un peu de farine dans la pâte. Continuer ainsi à faire des gnocchis et les faire cuire en plusieurs fois dans l'eau bouillante.

6. Préchauffer le four à 250 °C. Retirer les gnocchis de l'eau. Les laisser égoutter, puis les mettre dans le plat beurré et les parsemer avec le reste du parmesan. Disposer par-dessus le reste du beurre en noisettes. Enfourner puis laisser gratiner jusqu'à ce que le fromage soit fondu.

En haut : gnocchis au parmesan.
En bas : gnocchis aux épinards.

table des recettes

Dans la colonne Rapidité, les temps de préparation et de cuisson sont additionnés.
Les temps de marinade, de réfrigération, de trempage et de repos ne sont pas compris.

L'édition originale de cet ouvrage a été publiée
sous l'intitulé « Spaghetti » par Gräfe und Unzer GmbH, München.

Traduction : Élisabeth Fortunel
Secrétariat d'édition : Laure Dany - Maquette : Béatrice Lereclus

Dépôt légal : 6810-VIII-1996
N° éditeur : 22265
62.62.0533.03.0
ISBN : 2.01.019364.4

Impression : Canale, Turin (Italie).

Petits Pratiques Hachette

100 titres disponibles

cuisine

- Agneau
- Barbecue
- Bœuf
- Brunchs
- Buffets
- Céréales
- Champignons
- Chocolat
- Cocktails
- Confitures, conserves
- Cuisine alsacienne
- Cuisine asiatique
- Cuisine pour bébés
- Cuisine bretonne
- Cuisine chinoise
- Cuisine aux condiments
- Cuisine créole
- Cuisine pour deux
- Cuisine facile
- Cuisine grecque
- Cuisine aux herbes
- Cuisine indienne
- Cuisine italienne
- Cuisine libanaise
- Cuisine marocaine
- Cuisine orientale
- Cuisine pour une personne
- Cuisine provençale
- Cuisine russe
- Cuisine tex-mex
- Cuisine au tofou
- Cuisine végétarienne
- Desserts
- Entrées et hors-d'œuvre
- Fondues
- Fruits exotiques
- Gratins et soufflés
- Le goût en quatre saveurs
- Légumes
- Mets et vins
- Oeufs
- Pâtes
- Pâtisserie
- Petits gâteaux
- Pizzas et tourtes
- Plats mijotés
- Poissons
- Pomme de terre
- Riz
- Salades composées
- Salades variées
- Sauces
- Soupes et potages
- Tartes et gâteaux
- Veau
- Volailles

animaux

- Aquariums
- Aquarium, les plantes
- Boxers
- Canari
- Caniches
- Chats
- Chiens
- Chinchillas
- Cochon d'Inde
- Hamster
- Perruche callopsitte
- Perruches ondulées
- Lapin nain
- Oiseaux du jardin
- Perroquets
- Petits chiens
- Poissons rouges
- Teckels
- Tortues
- Westies
- Yorkshires

jardinage

- Bambous
- Bégonias
- Bonsaî
- Bouquets
- Bouturages
- Cactus
- Fleurs à bulbes
- Géraniums, pélargoniums
- Jardin de mois en mois
- Orchidées
- Palmiers
- Pelouses et gazons
- Plantes aromatiques
- Plantes d'intérieur
- Potager
- Rhododendrons, azalées
- Roses
- Taille

décoration

- Couronnes de fêtes
- Encadrement
- Fleurs séchées
- Rideaux - Coussins *

Hachette, côté pratique